D0294054

L'ÉTÉ ÉCLATÉ

INÈS DE KERTANGUY

L'ÉTÉ ÉCLATÉ

Collection littérature

ÉDITIONS DU ROCHER

JEAN-PAUL BERTRAND
ÉDITEUR

Passons puisque tout passe
Je me retournerai souvent
Les souvenirs sont cor de chasse
Dont meurt le bruit parmi le vent...

Guillaume Apollinaire
Cor de chasse

A ma mère,

I

Deux enfants se tiennent par la main. Ils courent.

Le garçon a l'air d'un pur-sang échappé. Il tire par la main une petite fille au sourire en suspens. Plus elle cherche à freiner, plus il l'entraîne. Bientôt c'est la chute.

Heureux de sa farce, le garçon fait quelques culbutes dans l'herbe. La fillette relève sa robe, se frotte le genou où perlent quelques gouttes de sang. Ses larmes sont toutes prêtes à couler. Mais le rire du garçon est si communicatif, ses grimaces si drôles, ses caresses si douces que, tout en reniflant, elle se met à rire.

Il rit de sa farce. Elle rit d'avoir eu si peur. Ils rient de n'être encore que des enfants.

De temps à autre, ils sont encore secoués de fou rire. Elle n'a pas atteint l'âge de raison. Lui l'a dépassé depuis plus d'un an. Ils sont couchés sur le dos, les bras écartés, le regard pointé vers le ciel. Ils se taisent tout en mâchonnant une brindille d'herbe.

Au-dessus d'eux quelques nuages passent. Ils balancent leur ventre gris, chargé d'espoir pour cette campagne assoiffée. La matinée se terminera sous une averse et peut-être qu'avec un peu de chance ce sera la féerie de l'orage.

En ce matin de juillet deux enfants regardent le soleil jouer avec les nuages. Quelques oiseaux traversent le paysage. Ils vont, viennent, strient le ciel de leur vol pressé. Eux aussi ont senti l'approche de l'orage. Ils dansent entre ciel et terre, poussent de temps à autre des cris stridents. Ils sont un, ils sont dix, réunis par on ne sait quelle incantation.

— Tu viens ? demande le garçon.

D'un bond il se lève. Il ne tient plus en place.

La fillette regarde son cousin. Il est si beau quand il s'impatiente. Elle a mis sa main en visière pour se protéger des rayons brûlants qui ne désarment pas malgré la nuée qui s'obscurcit à l'horizon.

— Alors tu viens ! répète-t-il.

Elle acquiesce d'un mouvement de tête ; sourit. Bien sûr qu'elle vient. Et que lui importe que ce soit pour aller là ou ailleurs, pourvu qu'elle soit avec lui, pourvu qu'ils continuent à partager les mêmes jeux, les mêmes rêves.

Agacé, il fait mine de s'éloigner. Elle court derrière lui.

— Attends, j'arrive, crie-t-elle.

Le cœur léger, ensemble ils poussent la barrière du « pré-au-cerf » ainsi nommé depuis que leur arrière-grand-père a sauvé un cerf traqué par des chasseurs. L'animal avait trouvé refuge sur ce pré en bordure de rivière. Reconnaissant, il serait revenu plus tard, accompagné de sa biche et de son faon.

L'histoire est belle et fait rêver les enfants. Un jour le cerf reviendra. Ainsi en ont-ils décidé. Et si ce n'est pas lui ce sera son fantôme. Quelquefois ils attendent de longues heures assis près de la barrière. Pendant ce temps ils se racontent des histoires. Leur imagination n'est jamais à court. Bien que le cerf ne se montre pas, ils gardent bon espoir ; ils reviendront une autre fois.

Ce matin, comme beaucoup de matins qui suivront, les cousins rêvent. Dans le pré quelques coquelicots se balancent au bout de leur tige, égayant çà et là l'étendue de verdure qui descend en pente douce jusqu'à la rivière.

D'ici, quand le vent a enlevé toute trace de brume, ils distinguent à perte de vue des champs, des bosquets et des fermes. Toute la campagne est réunie sous leurs yeux. Quelquefois ils s'amusent à suivre des yeux la course sinueuse d'un sentier. Ils le regardent disparaître derrière une haie, reparaître entre deux touffes d'arbres, s'élancer dans une dernière ligne droite, avant d'aller mourir au pied d'une ferme.

D'ici ils voient s'étendre, paisible, le village voisin. Quand le vent forcit, ils entendent, à quelques secondes près, sonner ensemble les carillons des deux villages. Bien qu'il soit le plus proche, le clocher de Charmille n'est pas visible de la Musardière. Tel un oiseau frileux, il s'est niché entre deux ondulations du paysage, tout juste de l'autre côté de la colline.

Cet après-midi le temps est si lourd qu'il flotte dans l'atmosphère une nappe de brume. Par endroits, sous l'effet de la chaleur, elle ondule jusqu'à faire vibrer le paysage et le rendre irréel.

Les enfants se lèvent. Ils descendent à la rivière.

La fillette cueille des fleurs des champs. Ses cheveux sont de la couleur du blé mûr, et ses pommettes rosissent du bonheur d'être en compagnie de son cousin.

A petits sauts le garçon s'élance dans les hautes herbes. Comme d'habitude, ses chaussettes sont tombées sur ses chevilles. En riant il se laisse glisser puis fait quelques cabrioles avant de reprendre sa course.

A présent, elle tient serrée contre elle une brassée de fleurs. Elle s'en va en gambadant. Le bouquet sent encore le printemps.

Il a atteint la rivière. Il se penche au-dessus de l'onde avec l'espoir de surprendre quelques poissons.

— Ça y est, j'en ai un ! crie-t-il victorieusement.

Elle s'approche pour voir. Éclatant de rire, il se met à l'éclabousser. Elle recule en poussant des cris. Mais il n'est pas dit que son cousin aura le dernier mot. Déposé son bouquet sur l'herbe, elle remonte sa robe à mi-cuisses : commence alors une bataille dans la rivière.

Au-dessus des deux têtes les nuages ont gagné sur le ciel bleu. Bientôt la masse moutonneuse et grise sera uniforme. Jusque-là intermittent, le soleil aura tout à fait disparu.

Un premier coup de tonnerre roule au loin. Carillonnent les heures. Il s'appelle Chris. Elle s'appelle Vic. Et pour eux le clocher de Charmille sonne l'heure éternelle.

II

Combien de fois Victoire n'avait-elle pas rêvé à ce retour ? Combien de fois les larmes lui étaient-elles montées aux yeux rien qu'à imaginer qu'elle franchissait le portail de la Musardière ? La Musardière, ses étés, son enfance... Déjà trois années envolées !

Sur le quai de la gare, de cette petite gare de campagne, calme l'hiver, au trafic intense dès le printemps venu, tout de suite elle reconnut le jardinier de la Musardière. Lui, il parut hésiter. Avait-elle changé à ce point ?

Après une vigoureuse poignée de mains et une rougeur qui trahit son embarras, Quentin la précéda. Au volant il se tut. Il était ému que la petite-fille de Madame Rivoix, sa patronne, fût revenue. En attendant le train il avait longuement cherché une phrase, un mot de bienvenue. Mais, soudain, intimidé, il n'avait plus su que dire. L'émotion avait été trop forte. La petite Vic, cette fillette, tellement grandie, déjà si femme ! Troublé, il avait gardé le silence.

Dans la voiture Victoire aussi se taisait. Sous le ciel étoilé, seule se devinait la silhouette des arbres en bordure de route. La campagne se fondait dans une nuit sans lune. A chaque croisement les phares de la voiture éclairaient des panneaux dont les noms faisaient chanter sa mémoire : Lumier 7 km, Rodon 3 km, Charmille 15 km. Charmille ! son village ; et, quelques centaines de mètres avant, la Musardière, où l'attendait sa grand-mère.

15

Déjà trois étés d'absence. Elle ne serait jamais revenue si, cet hiver, elle n'avait appris que sa grand-mère était tombée malade. Le temps, la vie, avaient coulé à son insu. Il lui avait bien fallu l'admettre. Alors ces étés qu'elle avait voulu oublier à jamais avaient affleuré à sa mémoire. Malmenée, torturée, forcée par ses ressouvenances, la délivrance s'était faite avec la conviction qu'elle devait revenir au pays de son enfance.

Le doute avait fait place à une certitude : elle retournerait à la Musardière.

Des mois, des années, elle avait mis en veilleuse sa mémoire, afin d'être absente à elle-même. Et voilà qu'elle revenait à la vie, que sa hâte se transformait au fil des semaines en une obsession : vivre enfin ce jour d'été qui la ramènerait à cette enfance qu'un matin avait brisée. Matin vibrant où, derrière la fenêtre, le soleil avait glissé sur la rosée avant d'éclairer ses carreaux. Matin béni qui annonçait le retour des grandes vacances passées avec son cousin. Matin de rêve et d'insouciance qui ne laissait rien présager. Matin où ses jeunes années jouaient sur le fil ténu du bonheur. Matin tragique où tout allait basculer.

Quand, après avoir franchi le portail, la voiture remonta la grande allée, était-ce imagination ou volonté, elle s'était sentie soulagée.

Comment n'avait-elle pas compris plus tôt que c'était ici, et ici seulement, qu'un jour peut-être, elle apprendrait à ne plus souffrir.

De ce qu'elle put apercevoir de la demeure dans la nuit, rien n'avait changé. La maison restait solide et carrée. Seule la vigne vierge, qui venait lécher les balustrades du premier étage, montrait que le temps avait passé.

Mince et droite dans sa robe grise, Madame Rivoix, sa grand-mère, l'accueillit en haut du perron.

Quelques secondes plus tard, Rose apparut dans l'embrasure de la porte. Elle avait toujours ce même chignon en bataille, cette même silhouette massive. Victoire embrassa la joue où traînaient quelques poils follets. Rose... Avait-elle seulement pensé à elle pendant tous ces mois d'absence ?

A la suite de sa grand-mère, Victoire pénétra dans le salon.

Son cœur se mit à battre plus fort : cette odeur de cire, ce parfum de feu de bois, relents que les tentures ainsi que les tapis conservaient dans la chaleur de cette nuit d'été. Bien qu'elle fût vaste, la pièce était feutrée. Victoire devinait des ombres tapies. Ses émotions allaient la vaincre quand la pendule de la cheminée, sonnant dans les aigus, secoua la torpeur du soir. Tel un métronome elle réglait les journées de la Musardière. C'était toujours à elle qu'Agathe Rivoix se fiait.

Victoire osa un regard vers sa grand-mère. Elle souriait. Comment faisait-elle pour paraître si sereine, si tranquille ?

Agathe Rivoix s'était assise à sa place. A côté, sur le guéridon, l'attendaient ses lunettes et son ouvrage. Elle chaussa celles-là, réajusta celui-ci entre ses doigts. Et c'est avec la même simplicité qu'elle reprit la conversation, là où elle l'avait laissée trois ans plus tôt. Elle s'appliquait à rester penchée sur son ouvrage. Pendant tout le temps qu'elle resta en présence de sa petite-fille, jamais elle ne leva son regard sur elle. Il ne fallait pas effaroucher l'enfant qu'elle devinait encore si fragile.

Elle avait été si heureuse, il y a quelques semaines, quand Victoire lui avait annoncé son arrivée. Avec l'enfant reviendrait un peu de joie, et de retrouver le parfum des étés perdus lui redonnerait le courage de passer les longs mois d'hiver. Cette maison était décidément trop vaste pour deux femmes seules.

Devant l'adolescente, elle parla de ces petits riens qui font la vie de tous les jours, s'efforçant à l'insouciance. « Surtout pas d'émotion », n'avait-elle cessé de se répéter pendant ces longues semaines d'attente. Elle aurait à s'approcher, avec prudence, de cette âme blessée. Avec le temps, elle savait bien que tout finirait par s'arranger. Ah ! ce temps qui courait toujours mais qui pour une fois travaillerait pour elle !

Agathe attendit encore un peu. Elle fit semblant de compter ses mailles : il ne fallait pas presser le mouvement, ni que les minutes s'éternisent. Quand la demie de dix heures sonna, elle s'écria :

— Il est déjà bien tard ! Et, depuis cet hiver, je suis obligée de devenir raisonnable.

En haut de l'escalier qui mène aux chambres, Agathe Rivoix

réprima un dernier élan de tendresse : « Surtout ne rien faire qui pût mettre l'enfant en difficulté. » Aussi se retint-elle de l'accompagner jusqu'à sa chambre : autrefois elle ne le faisait jamais. Elle se contenta de lui souhaiter une bonne nuit, de l'embrasser. Puis elle regagna sa chambre. Émue, elle resta quelques secondes à l'écoute, jusqu'à ce que la porte de l'autre côté du couloir se referme à son tour.

Victoire se retrouva seule. Toutes ses affaires avaient été rangées. Son lit avait été fait, sa chemise de nuit dépliée.
— Oh Rose ! murmura-t-elle en serrant ses mains à les faire craquer : « Oh Rose », dit-elle plus plaintivement.
Elle se précipita dans son lit, ferma les yeux. Dans le silence le tic-tac de son vieux réveil résonna à ses oreilles. « Rose a donc pensé à le remonter », se dit-elle.
Alors un sanglot, un seul, remontant du fond de son enfance, éclata comme une bulle énorme crevant un océan de souvenirs.

Victoire se réveilla plusieurs fois dans la nuit. Dans son lit, son corps grandi ne trouvait plus ses creux et ses bosses. Tantôt étalée, tantôt ramassée sur elle-même, elle cherchait à refaire sa place comme une rivière dont on aurait détourné le cours.
Au clocher du village plusieurs coups sonnèrent. Dans son demi-sommeil, n'étant pas sûre d'avoir compté tous les coups, elle jeta un œil à son réveil : il était cinq heures. Couchée sur le dos, les yeux fermés, elle écouta le chant des oiseaux ; puis, paresseuse, elle s'étira comme une chatte engourdie, plissant les yeux, le nez, bâillant fort. Il faisait chaud dans la pièce. Elle se mit en travers de son lit. Des yeux elle parcourut sa chambre. Son regard s'arrêta aux tableaux, se posa sur les meubles. Tout lui était redevenu familier. Comme si elle n'était jamais partie.
Au loin un aboiement se perdit dans l'aube. Avant de se coucher elle avait pris soin de laisser les volets ouverts, afin que cette première nuit entrât dans la chambre avec ses parfums et ses bruits. Mais, rompue de fatigue autant que d'émotion, elle s'était trop vite endormie.

18

Maintenant, pressée de reconnaître le paysage de son enfance, elle se laissa glisser au bas de son lit. A cette heure la première lueur du jour chasse la nuit. Dans cette lumière tremblée, elle passa devant l'armoire, surprit son image dans la glace. Elle reçut un choc : ce visage, ces lèvres pâles, ce regard ?

Elle s'approcha pour mieux voir ces yeux qui la fixaient. Comment avait-elle pu changer à ce point ? On eût dit les yeux d'une noyée. Que restait-il de la fillette aux joues rebondies ? Autrefois deux fossettes soulignaient un regard volontiers rieur, quelquefois chagrin, souvent rêveur mais toujours innocent.

Elle fit un pas en arrière. Cette taille, ces hanches, ces deux aréoles qui pointaient sous sa chemise, et cette ombre en bas du ventre. Elle était enfin devenue une femme. Mais pour qui ?

Elle passa sur le balcon. Le visage tourné vers l'est, elle regarda naître à l'horizon une pâleur rosissante. Une première lueur apparut qui éclaira une campagne vallonnée. Celle-ci s'allongea, courut de champ en champ. Bientôt elle monta jusqu'au « pré au cerf » dont on n'apercevait d'ici que la haie de ronces qui le délimitait.

Le petit bois devait s'embraser à son tour. Mais, placé trop haut, elle n'en pouvait apercevoir que les premières touffes.

Ici elle avait vécu tous ses étés avec son cousin. Heures inoubliables et heureuses ; heures innocentes. Son cœur se serra : saurait-elle vivre cet été ? Saurait-elle seulement se mouvoir, rêver dans ce jardin, dans cette maison qui abritait tant de secrets ?

Frissonnante, elle se résolut à rentrer. Elle regagna son lit aux draps encore tièdes de sa nuit. Elle se pelotonna sur ses pensées. Sur le qui-vive, elle attendrait que ce premier matin d'été se lève enfin.

III

La main agrippée à la rampe, le pas mal assuré, Victoire descendait les escaliers.

C'était sa première matinée à la Musardière. Il fallait qu'elle s'apprivoise dans son face à face. Elle s'approcha de la porte vitrée. Par-delà la terrasse, elle admira le paysage. A travers sa robe et ses sandales, elle sentait le soleil qui chauffait : ce serait une belle matinée d'été. Une bouffée de bonheur la submergea. A cet instant elle se sentit presque heureuse.

Derrière la porte de la salle à manger, elle perçut des chuchotements : « Grand-mère, Rose... », pensa-t-elle. La main posée sur la poignée elle eut un moment d'hésitation : tous ces gestes à retrouver, à réapprendre.

Rien n'avait changé dans la pièce aux boiseries anciennes. Agathe Rivoix était assise à sa place en bout de table, face à l'entrée. A ses côtés, Rose se tenait debout, imposante dans son tablier à carreaux. Des lunettes cerclées étaient posées sur le bout de son nez. Elle était inclinée au-dessus de l'épaule de Madame Rivoix, sa patronne, à qui elle vouait une réelle dévotion. C'était l'heure immuable des menus.

Quand la porte s'ouvrit les femmes tressaillirent : elles aussi auraient à se faire à cette présence indomptée, si farouche encore. Elles savaient le moindre silence périlleux, comme la moindre parole hasardeuse.

— Bien dormi, ma petite-fille ? s'informa la maîtresse de maison.

Tandis que glissant sur ses pantoufles la servante s'en allait quérir du lait chaud à la cuisine.

Victoire s'assit. Sa place était dos aux fenêtres. De sorte que dans la glace qui lui faisait face, elle voyait se refléter son paysage à l'envers.

Rose déposa les brioches chaudes sur la table. Sans un mot, avec ce droit que donne l'habitude, elle versa le lait. Elle le fit couler d'un peu haut, afin qu'il mousse davantage. « Plus haut, encore plus haut ! » avait l'habitude de supplier Chris.

Le pot vide dans une main, un poing appuyé sur sa hanche, Rose restait attentive aux besoins de la « petite ».

Agathe Rivoix souriait. Elle retrouvait la compagnie de sa petite-fille. Ce bonheur était plus qu'elle n'en avait espéré.

Par les fenêtres entrouvertes sur la terrasse, s'éleva un bruit de moteur. Une portière claqua.

— Vite, ma petite-fille, tu vas être en retard ! rappela Agathe Rivoix.

— C'est déjà l'heure ? s'étonna Victoire.

Elle vola une brioche et s'enfuit.

La voiture descendit l'allée. Elle longea la maison de Quentin, passa devant le chien attaché à sa niche.

Pataud s'était dressé sur ses pattes arrière. Montrant son ventre roux, il jappait en fouettant l'air de sa queue. La voiture de son maître ne s'arrêtant pas, de dépit il se recoucha le museau entre les pattes. Victoire lui fit un signe, puis elle se retourna pour regarder la route.

Sous le soleil, la campagne reprenait ses allures avenantes. Rien n'avait changé. Chaque champ, chaque ferme, étaient restés fidèles à son souvenir. N'était-ce pas justement sous ce châtaignier qu'ils avaient l'habitude de s'arrêter ? N'était-ce pas justement dans cette ferme qu'ils allaient chercher les fromages ? Et ce chemin avec son écriteau à peine lisible et toujours bancal, n'était-ce pas celui qui menait chez le vieux Ferrard, ce rebouteux un peu fou qui soignait les bêtes comme personne ? Elle ferma les yeux : tant de souvenirs.

La voiture descendait les tournants qui rejoignaient la

grand'route. La tête abandonnée sur le dossier, Victoire laissait ses pensées se balancer à leur fantaisie.

Comme chaque année, l'arrivée de sa grand-tante Marthe sonnait le début des vacances. La sœur cadette d'Agathe Rivoix était pour les enfants comme une deuxième grand-mère. Toujours gaie, elle faisait le bonheur de touś. Si elle était heureuse de la revoir, elle ne pouvait cependant s'empêcher d'être anxieuse.

Elle imaginait la vieille dame au sourire charmant : tante Marthe la gourmande, tante Marthe la coquette, tante Marthe la Parisienne ; et aussi tante Marthe la mystérieuse qui avait eu un fiancé, un mari, un fils : tous disparus.

Déjà enfant elle admirait sa joie de vivre, son impétuosité, sa capacité à passer de la plus vive émotion au rire le plus gai. Mais, à cet instant, c'était précisément toutes ces qualités qu'elle redoutait. Elle s'angoissait à l'avance d'un mot appuyé, d'un geste trop affectueux, d'un regard humide qui risquait de lui faire perdre pied. Elle se sentait si fragile !

Le haut-parleur annonça l'arrivée du train en provenance de Paris. Quelques secondes plus tard Marthe passait la tête par la fenêtre. Elle brandissait sa cage à oiseaux. Quentin vola à son secours. Souriante sous son chapeau à voilette, elle descendit les marches. Sans ambages elle embrassa sa nièce.

Au contact de cette peau si douce, si délicatement parfumée, Victoire se rappela quelle tendresse les rapprochait. D'un coup ses craintes s'envolèrent. Elle ferma les yeux. En un éclair elle revécut une scène ancienne : « Mon chapeau ! Qu'ont-ils fait de mon chapeau ? Ah ! les garnements si je les attrape !... » Par-dessus le balcon tante Marthe crie. Cachés dans le jardin les enfants sont hilares. Encore une de leurs farces...

Sous sa voilette Marthe glissa un sourire à l'adresse de Quentin en même temps qu'une main gantée. Puis elle se tourna vers un jeune homme auquel Victoire n'avait pas prêté attention.

— François Vallier : ma nièce Victoire, dit Marthe la mine comploteuse.

Victoire sourit au jeune homme mais ne le vit pas.

A peine la voiture eut-elle le temps de se garer au bas du perron que déjà Agathe Rivoix se précipitait dehors. Les deux sœurs s'embrassèrent. Un peu en retrait, toute rouge d'émotion, Rose montrait sa tête renfrognée. Quand Marthe l'aperçut, elle courut à elle : de toute éternité Rose faisait partie de la famille.

Une fois les bagages montés, la cage à perruches installée, Rose envolée à ses fourneaux, Marthe passa enfin le seuil. Pénétra avec elle tout un parfum de bonheur, tout un halo de lumière.

C'était ici que les deux sœurs étaient nées. Sans doute avaient-elles vu le jour dans une des chambres du haut. C'était peut-être ici qu'elles mourraient. Et ce serait dans le petit cimetière de Charmille qu'elles se feraient enterrer. Si Marthe la plus jeune des deux sœurs avait choisi de vivre en ville, c'était encore et toujours ici qu'elle revenait passer ses étés.

Dans le salon aux couleurs fanées c'est avec satisfaction que Marthe s'assit sur sa bergère recouverte d'un velours bleu nattier, sa couleur favorite, sa place à elle. Elle regarda sa sœur lui verser « un doigt » de porto, son apéritif préféré. Elle la trouvait bien un peu amaigrie mais pas si mauvaise mine que ça. Il fallait s'y attendre : Rose s'affolait si facilement !

La conversation s'anima. Sous les paupières papillonnantes, le regard bleu de Marthe s'égaya. Elle raconta sa rencontre avec le jeune François Vallier.

« Tu sais, disait Marthe à sa sœur, sa mère est la petite cousine des Charlier. Il a hérité d'elle cette maison dans le village. Il est beau garçon. Bien élevé. »

Elle parla, parla. Jusqu'à ce que Rose vînt frapper à la porte du salon pour annoncer que c'était servi.

Dans la salle à manger chaque convive s'assit à sa place habituelle. Cette année, face à la maîtresse de maison, la chaise resterait vacante. Si personne n'en parlait, tout le monde y pensait. Alors très vite, trop vite peut-être, Marthe tenta de faire diversion. Une ombre s'insinua. Heureusement Rose apparut avec son gigot. Elle le découpa avec des gestes rapides et précis. Puis elle attendit toute droite derrière la chaise de « Madame » que chacune se fût servie. Le verdict tomba : c'était parfait. Rassurée, Rose s'en fut chercher les légumes.

Les deux sœurs reprirent leur conversation. Elles ne s'étaient pas revues depuis des mois.

— Et notre curé ? Dans ta dernière lettre...

— En effet, je suis inquiète. Il paraît fatigué. Que veux-tu, c'est comme nous, il commence à se faire vieux...

A peine Agathe avait-elle le temps d'aborder un sujet que déjà Marthe posait une nouvelle question.

— Il paraît que Blanchette, c'est pour bientôt ? Je vois ça d'ici, Quentin sera aussi fier de son veau que s'il en était le père naturel ! Marthe se mit à rire d'un petit rire de gorge charmant.

Mais Agathe n'appréciait pas que sa sœur plaisante, même gentiment, sur des sujets qui lui tenaient à cœur. Les gens de la ville ne connaissaient rien de la terre.

— A présent, si tu nous parlais un peu de toi, dit-elle, pressée de changer de conversation.

Sans se faire prier Marthe raconta. Aussitôt un parfum d'exotisme, de poésie et de rêve s'exhala dans la salle à manger restée inchangée depuis des générations.

Elle leur parla, elle, la grande Parisienne depuis son lointain mariage, de lieux et de gens inconnus, mais qui, avec les années, leur étaient devenus aussi familiers que des proches. Avec des mines gourmandes, entre deux sourires, deux paroles, Marthe finit son dessert favori. La salle à manger aux boiseries blondes sentait le miel. Grâce au tilleul, même en été, la lumière ne rentrait que tamisée. Cette demi-pénombre était propice aux confidences, aux souvenirs.

Bientôt les deux sœurs évoquèrent les années lointaines où elles n'étaient encore que des petites filles coiffées d'anglaises. Victoire connaissait ces enfants pour les avoir déjà admirées en photo : Agathe, la plus âgée des deux sœurs, avait la moue volontaire ; à ses côtés se tenait Marthe sa cadette, portant une poupée en porcelaine. Elle avait les joues rondes et les fossettes creusées de rire.

25

Tandis que les vieilles dames se souvenaient de leur enfance, Victoire aurait juré entendre gambader dans le jardin deux petites filles. Elle resta rêveuse. Avant elle, avant eux, elle avait du mal à s'imaginer que d'autres enfants avaient joué dans cette maison. Que d'autres enfants qu'eux avaient couru dans leurs prés, s'étaient rafraîchis à leur rivière...

IV

A peine Marthe s'était-elle installée à la Musardière qu'elle réussit à entraîner sa sœur à un goûter de dames. Elle avait encore quelques amis dans la région qui, tout comme elle, revenaient passer l'été à la campagne. Ainsi, dès la belle saison venue, Charmille se gonflait de ces arrivants.

Charmille était situé en plein cœur de la France. C'était un village paisible. Pour aller visiter son vieux quartier, il n'y avait qu'une route. Elle passait devant le portail de la Musardière et montait sinueuse jusqu'au village.

Victoire avait préféré rester, voulant tenter l'expérience d'être seule. Entre ces murs où s'exhalaient tant de souvenirs, longtemps elle s'était promenée. Dans le calme, elle avait espéré percer le secret de cette maison encore si vibrante du passage des deux enfants. Elle avait voulu la traquer, lui faire rendre gorge. Chaque pièce, chaque meuble, chaque objet murmuraient que les cousins étaient passés par là. Jusqu'à l'escalier où elle avait trouvé un chewing-gum collé dans un interstice de la rampe.

Promenant un œil aiguisé, elle avait rôdé partout. Elle avait marché de long en large dans le couloir desservant les chambres. Les lattes du parquet avaient chanté sous ses pas comme une mélodie venue du fond de sa mémoire. Elle avait fini par trouver des indices : un coup de canif donné dans la boiserie, des traces de mains poisseuses près des interrupteurs, autour des poignées de portes. Malgré ses soins Rose n'avait pas réussi à tout effacer, à tout camoufler. Dans les toilettes du bas, nichées sous l'escalier, au bout de la chaîne la poignée de porcelaine restait fracturée. Sous la toile de Jouy, derrière l'armoire de sa chambre, la cache était restée intacte. Dedans attendaient des pierres blanches polissées par l'eau de la rivière, un morceau de bracelet en plastique, des fleurs séchées, des bonbons à moitié sucés replacés dans leur papier chiffonné.

Elle avait tourné, retourné dans cette grande maison. Et contre toute attente, elle avait fini par se sentir mal à l'aise. Elle avait espéré devenir maîtresse des lieux : elle s'était faite la proie des ombres.

Parfois il lui avait semblé entendre des rires étouffés, des murmures, des galopades. Dès qu'elle s'approchait, tout s'arrêtait. Il ne restait plus que le bruit de ses pas qui résonnaient ; plus rien que le silence.

La maison aux murs épais gardait jalousement ses secrets. Parmi toutes ces ombres elle se sentait si vivante, si désespérément vivante.

Désappointée, elle finit par s'asseoir sur une des marches du perron. La tête dans les mains elle réfléchissait. De temps à autre, elle prenait la masse des cheveux qui tombaient libres dans son dos. Elle la soulevait, la tournait sur elle-même et la laissait retomber en torsade. La pointe dorée effleurait la ceinture de sa jupe. Quand ses cheveux se défaisaient, elle recommençait. Quel espoir insensé l'avait poussée à rester seule ? Elle crut étouffer. Elle se leva et sortit. Sur la terrasse ombragée, elle rencontra un chaton. D'où venait-il ? Doucement elle s'approcha. Accroupie, elle lui tendit une brindille. Il roula sur le dos, se contorsionna, s'excita. Puis, las du jeu, il s'en alla dans l'herbe chasser les papillons.

Un moment elle resta ainsi accroupie. La brindille dans la main, elle regardait la campagne. Une brume légère, comme scintillante sous le soleil d'été, restait accrochée aux bosquets. Tant de beauté qu'elle aurait voulu partager encore et encore. Était-ce cela aimer ?

En fin d'après-midi, vaincue par la solitude, Victoire décida de rejoindre Rose. Elle devait s'affairer quelque part entre la cuisine et l'office. Sur la terrasse, bien que les ombres se fussent allongées, pas un souffle d'air ne venait balancer les feuilles du tilleul. Il faisait très chaud. Pour contourner la maison, elle prit le chemin ombragé qui longeait le poulailler. Derrière le grillage les volatiles la regardèrent passer de leur air effaré.

Arrivée à la cour pavée, elle poussa la lourde porte entre-bâillée. Par contraste avec le dehors la cuisine était froide. Elle tendit l'oreille : personne. De l'office lui parvinrent des bruits de vaisselle. Elle s'annonça du plus fort qu'elle put :

— Rose ?... C'est moi !

Aucune réponse. D'un coup d'œil elle inspecta les lieux. C'était la première fois depuis son arrivée qu'elle pénétrait dans cette pièce. L'antre sacré où Rose officiait. L'antre douillet où les jours de pluie elle avait tant aimé se réfugier. Ces jours-là, juchée près des fourneaux, des heures durant elle avait regardé Rose s'affairer. La pièce était vaste. Trois fenêtres basses l'éclairaient. Une table, des bancs, un vieux buffet en étaient le principal mobilier. Aucun appareil, aucun ustensile n'était neuf mais tout marchait. Et Rose ne voulait entendre parler ni de commodité, ni de modernité.

Debout au milieu de la pièce, Victoire écoutait les pas traînants aller et venir dans l'office. Elle ne bougeait pas attentive à ces instants d'émotion, à ces effluves, à ces trois fois rien venus du fond de sa mémoire. Ici la maison était vivante, chaude, palpable.

Tout à l'heure Rose avait sursauté en entendant Victoire l'appeler : « La "petite" ici, tout esseulée et déjà tant grandie ! Et ce regard perdu qu'elle promenait partout ! » Sous l'émotion le cœur de Rose s'emballa. Cela faisait des jours qu'elle s'attendait à la voir venir. Elle n'avait toujours pas l'idée de ce qu'elle lui dirait. Lui avait-on seulement dit pour la Moune ?

Une porte de placard claqua, puis une deuxième. Enfin Rose apparut le teint couperosé. Comme elle faisait les jours d'embarras, elle frotta ses mains sur son tablier. Sur ses airs renfrognés elle avait plaqué un demi-sourire. Restant à distance, d'un coup de menton, elle montra la table.

— Assieds-toi, ma colombe, dit-elle.

Ce surnom, elle était la seule à le lui donner. Et soudain tout devint facile.

Sans plus de façon Rose tourna le dos à la jeune fille. Elle décrocha un torchon, puis se baissa laissant voir un arrière-train volumineux. Le four ouvert, un parfum prononcé de chocolat envahit la cuisine. Elle piqua le gâteau afin de s'assurer de sa cuisson.

Sans bouger, hypnotisée par ses gestes de toujours, Victoire regardait faire la servante. Pour la première fois elle s'aperçut qu'elle était âgée, sans doute fatiguée. Elle se sentit une immense tendresse pour la vieille fille. Issue d'une fille-mère, elle-même au service de la famille du temps de Monsieur « le grand », Rose était née dans cette maison, elle y vieillirait. Elle était sans âge.

Victoire pensa à son compagnon de solitude. Des yeux elle chercha le panier capitonné. Autrefois il était toujours sur le buffet.

Rose devinait les pensées qui assaillaient la « petite ». Ne montrant d'elle que son dos rond, elle répondit à l'interrogation silencieuse.

— Dehors c'est son fils ; c'est tout ce qui me reste d'elle. Le vétérinaire m'avait dit qu'elle ne risquait plus d'en faire à son âge. Trop vieille, qu'il disait !

Victoire eut du mal à contenir son chagrin. Ainsi cette vieille chatte, au regard sans aménité, qui traînait ses airs bougons n'était plus. Méfiante, à la moindre contrariété elle sortait ses griffes. En cela elle ressemblait à sa maîtresse. La Moune... encore un témoin de son enfance disparue.

Victoire se retourna. Derrière la fenêtre le chaton s'amusait à chasser les mouches.

— Il est beau ! risqua-t-elle.

— J'ai brûlé le panier. J'veux plus m'attacher à une autre bête.

Rose et Victoire restèrent sans parler, chacune écoutant le bruit de son cœur naufragé. Puis la servante vint déposer sur la table la casserole qui avait servi à faire fondre du chocolat.

— C'est de la chance qu'elle n'ait pas encore été lavée ! dit Rose.

Avec des mines gourmandes Victoire lécha la casserole.

La prunelle soudain ensoleillée sous ses froncements de sourcils, Rose reprit :

— En tous cas ce gâteau n'est sûrement pas pour Madame !

— Elle n'a pas le droit ?

— Oh ! non, elle n'a pas le droit ! Déjà que cet après-midi elle est partie à un goûter.

— Grand-mère dit pourtant qu'elle va beaucoup mieux.

— Elle va mieux... elle va mieux... c'est ce qu'elle dit, mais moi je sais bien qu'il ne faut pas qu'elle en fasse de trop !

De colère, Rose avait repris la casserole sur la table. Elle la lavait maintenant à grande eau.

Victoire en profita pour annoncer qu'elle sortait.

— C'est ça, ma colombe, va donc courir par ce beau temps, moi j'ai encore à faire par là.

Dehors la chaleur était moins étouffante. Comme Victoire passait devant les fenêtres de la cuisine, elle entendit Rose. Au milieu des bruits de vaisselle, celle-ci prenait le ciel à témoin.

— Ah ! Vierge Marie ! Ça ressemble à quoi cette petite qui nous revient tout esseulée. C'était... c'était... vous comprenez ? Jamais l'un sans l'autre ! Les jumeaux, comme on les appelait...

Sur cette dernière phrase la voix fâchée se cassa.

Alors, Victoire pressa le pas. Courut ! Elle avait tout entendu : «Si Rose s'y mettait, Rose la forte ! »

Au bas du jardin, elle alla se cacher. Comme quand elle était enfant et qu'elle avait un chagrin, elle se laissa choir à l'abri de la feuillée. Et là, sur cette terre qui sentait ses étés, elle resta un long moment à bercer son désespoir.

V

Chaque lundi était jour de grand ménage. Un fichu noué dans les cheveux tel un pirate, Rose apparaissait dès six heures armée de ses balais. C'était le grand chambardement. Il n'était plus question de dormir.

Elle commençait par les pièces du bas. Mais, à huit heures, les bruits se précisaient. Chaque fois qu'elle déplaçait son seau de fer, l'anse allait cogner le récipient dans un son métallique. A huit heures trente il avait monté toutes les marches. Allait le rejoindre une armée de balais et de chiffons. C'en était fini de la tranquillité.

Marthe n'était pas une lève-tôt. Ce jour-là pourtant, dès neuf heures, elle se retrouvait debout et habillée.

Comme Victoire ne se décidait pas à paraître, Rose alla frapper à sa porte. Aucune réponse : elle passa sa tête de chat.

— T'es malade ?

Dans l'espoir de gagner du temps, Victoire acquiesça d'un hochement de tête.

— C'est pas grave, au moins ?

Se retournant dans son lit, la jeune fille laissa échapper un grognement. Rose était de bonne humeur ce matin. Elle alla se planter au pied du lit, avec son balai.

— Bon, je vois, c'est la maladie de la paresse que t'as attrapée, pas besoin de médecin pour soigner ça ; je vais m'occuper de toi.

De son pas pesant elle alla à la fenêtre. Elle poussa les volets qui, chacun de leur côté, frappèrent le mur adouci par la vigne vierge.

— Regarde un peu, ma jolie, comme il fait beau ! Ce sera encore un jour d'été comme tu les aimes.

Pour toute réponse, Victoire se mit à bâiller. La présence de Rose lui rappelait ses levers de petite fille. La servante qui, il y a quelques années, aurait perdu patience depuis longtemps, prit ce matin prétexte que la chambre était en désordre pour rester encore un peu. Elle ramassa les affaires que la « petite » avait laissées en boule sur la chaise.

Yeux mi-clos Victoire la regardait aller et venir. Rose était telle qu'elle l'avait toujours connue. Les années avaient coulé sur elle sans la marquer. Elle était solide, Rose, sur ses jambes comme dans sa tête. Avec un cœur énorme qui cherchait à se dissimuler derrière des brusqueries pudiques.

— Si c'est pas malheureux tout ce désordre ! répétait-elle à l'envi avec un faux air fâché.

Elle s'arrêta devant la fenêtre. De toute sa stature elle barra une partie du soleil qui se répandait dans la chambre.

— Ta grand-mère veut te confier une lettre. Il faudra la porter au village.

Rose plissa son œil de chat :

— Il y a une surprise aussi.

— Une surprise ?

— Tiens donc ! Te voilà bien réveillée tout à coup. Eh bien t'en sauras plus tout à l'heure. Madame t'attend au jardin.

Victoire se leva. Soudain elle eut hâte de sortir, de bouger, de profiter de cette belle journée qui se levait sur la Musardière.

Dans la salle de bains elle s'observa. Après une nuit sans rêve, son regard avait retrouvé un peu d'innocence. Elle s'examinait encore quand elle crut sentir un frôlement. Elle se retourna : personne. « Chris ! » appela-t-elle. Elle était pourtant sûre... Ce n'était pas la première fois.

Marthe avait accroché au tilleul sa cage à oiseaux qu'elle nettoyait au grand affolement des perruches. Son chignon était emprisonné sous une fine résille. Les cheveux jaunes, ainsi mis en boule, ressemblaient à un poussin pris dans un filet.

Victoire embrassa sa grand-tante. Depuis toute petite elle avait toujours eu envie de passer son doigt entre les mailles de la résille pour caresser la chevelure de Marthe. Elle n'aurait pas été autrement surprise de sentir battre un cœur sous cette rondeur pelotonnée.

Un peu en contrebas de la terrasse, Agathe Rivoix, courbée en deux, jardinait. Elle était ceinte d'un grand tablier bleu, un chapeau la protégeant des premiers rayons du soleil. Elle se releva en souriant. Elle lui fit signe la raclette à la main.

— Mon petit, j'ai un service à te demander : peux-tu aller à Charmille déposer cette invitation à dîner ?

Elle posa la raclette dont les griffes étaient entachées du sang des fleurs. Elle tira de son tablier une enveloppe qu'elle tendit à Victoire. Puis elle reprit d'un ton qu'elle voulut léger :

— J'ai fait réparer une vieille bicyclette. Quentin est allé la chercher ce matin. Elle t'attend devant la remise.

Victoire sauta au cou de sa grand-mère pour la remercier, et partit en courant.

Les deux sœurs la suivirent du regard. Cette joie pour la première fois. L'enfant reviendrait-elle à la vie ? Les deux sœurs se sourirent d'un sourire hésitant ; chacune se tut, le cœur remué.

Les vieilles dames retournèrent à leurs occupations. Mais leurs pensées étaient ailleurs. La cage à oiseaux nettoyée, Marthe rentra ses perruches.

Courbée au-dessus du massif, Agathe continuait de jardiner. S'occuper de ses fleurs, de son potager, de son verger, était un passe-temps auquel elle s'adonnait depuis des années. Elle y mettait toute son application. Et ces gestes simples, qui se répétaient chaque jour, lui conféraient calme et sérénité.

Ce matin elle était en paix avec elle-même. Cette joie qu'elle avait vue dans les yeux de sa petite-fille suffisait à son bonheur.

Elle décida de ne plus penser à rien. Cependant, quand elle entendit par-delà les arbres bordant la grande allée la sonnerie de la bicyclette, elle se redressa. Elle crut qu'elle allait voir passer ses deux petits-enfants...

Quelques secondes elle perdit la notion du temps. Revint à elle. Par quelle aberration avait-elle pu croire... Voilà qu'elle confondait les années maintenant ! « Encore un signe de vieillesse » se dit-elle en se morigénant.

Sous l'émotion son cœur se mit à battre par saccades. Elle se sentit désemparée.

Afin d'essayer sa bicyclette Victoire avait fait un tour dans l'allée. Revenue du côté de la remise, elle avait voulu ouvrir la porte. Celle-ci était fermée à clef. Qu'étaient devenues les bicyclettes rouge et bleue ? Leurs bicyclettes. Sûrement Quentin savait. Oserait-elle jamais lui poser la question ?

Soudain elle se rembrunit. Depuis qu'elle était arrivée, c'était comme si elle avait toujours un pied au-dessus du précipice. Elle faisait de l'équilibre. Il suffisait d'un rien pour qu'elle bascule.

Elle s'assit au bord de l'allée le visage dans les mains. Elle faillit se laisser aller à sa désespérance quand elle sentit saillir de sa poche l'enveloppe. Elle la tira, lut : « A Monsieur François Vallier. » Elle fit un effort, se souvint vaguement du garçon aperçu à la gare. Elle haussa les épaules : aller au village lui ferait au moins passer le temps.

Il faisait beau, et chaud. Quelques mèches volaient autour de son visage. A mi-côte, reprenant tout à fait confiance en elle, Victoire se mit en position de danseuse. Le faîte de la colline atteint, elle n'aurait plus qu'à se laisser glisser en roue libre jusqu'au village. Devant elle la route de campagne s'ouvrait accueillante et inchangée. Elle passa les premières maisons qui bordaient la rue principale. Rue des Ferronniers elle se renseigna auprès d'une femme âgée assise devant sa porte. La vieille femme ouvrit une bouche édentée, chuinta :

— Par là, petite, la deuxième à droite.

L'impasse des Dames-Blanches était étroite. Elle était pavée de cailloux ronds et inégaux. Par-dessus les murs, des arbres étalaient leur ombrage. Victoire sonna, attendit, sonna encore. Une femme entre deux âges, vêtue d'un tablier, finit par lui ouvrir.

— Je voudrais remettre cette lettre à monsieur François Vallier, dit Victoire.

— Monsieur est absent jusqu'à jeudi prochain. Je la lui donnerai à son retour.

La porte s'était ouverte sur un jardin clos. Derrière un fouillis d'arbustes en fleurs apparaissait une maison basse, couverte de lierre et de rosiers. Victoire avait tout envisagé sauf que le destinataire pût être absent. Elle tendit l'enveloppe, bredouilla quelques mots d'excuses. Déjà la porte claquait derrière elle. Elle se retrouva désœuvrée : la matinée serait longue à passer.

Sur la place onze coups sonnaient. Dérangés par le bruit, des pigeons s'enfuyaient. Victoire suivit leur vol affolé. Puis son regard revint se poser sur l'église : c'était le curé de Charmille qui, le premier, les avait surnommés les jumeaux. Quand il les voyait passer, il ne manquait jamais de leur adresser un signe amical. Auquel, invariablement, les enfants répondaient en lançant un joyeux « Bonjour, monsieur le Curé ! »

Victoire décida de faire une halte. Elle pénétra dans l'église, choisit un coin reculé et sombre. De son enfance elle avait gardé du goût pour cet endroit mystérieux où se mêlaient le parfum des fleurs et l'odeur d'encens, une pénombre discrète et la lumière changeante des vitraux.

Cela faisait longtemps qu'elle n'avait plus pénétré dans une église. Ici c'était différent, elle était chez elle. La tête dans les mains, elle ne songeait pas à prier. Elle n'était pas venue chercher une impossible consolation, mais le vieux curé de Charmille était un ami de la famille. Il avait connu les cousins, leur secret. Peut-être saurait-il apaiser cette souffrance qui l'empêchait de vivre.

Elle en était là de ses réflexions quand, derrière elle, elle entendit des pas. Elle sentit un frôlement accompagné d'un parfum indéfinissable : odeurs de renfermé, d'encens et de fumée de bougies mêlées. Au passage du prêtre elle admira le dos noir encore droit pour son âge, les cheveux blancs et drus. Mue par un espoir subit, elle se leva, fit un pas dans l'allée, puis deux. A ce moment, un couple la devança, coupant ainsi son élan ; le premier depuis si longtemps.

Revenue dans l'ombre, elle se rassit sur le banc dur et lisse, où tant de fidèles s'étaient assis avant elle en quête de l'impossible. La religion ? Elle se défendait de croire en Dieu, en ce Dieu d'amour dont on lui avait tant parlé enfant.

Elle regarda le vieil homme. Son visage était illuminé d'un regard clair, de la couleur nuageuse du ciel breton dont il était originaire. De toute sa personne émanait la bonté. Elle reprit confiance.

Elle observa le jeune couple qui se tenait par la main. Ils discutaient musique, fleurs, cortège. Une telle félicité se peignait sur leur visage que brusquement ce bonheur lui fut insoutenable. Prise de panique elle s'enfuit.

VI

— Tu n'y comprends rien, c'est ici qu'on sera le mieux.

— Je suis plus petite que toi, d'ici je ne vois rien.

— Bon, d'accord ! On va remonter jusqu'au pied du prochain arbre !

Les deux enfants se lèvent. Visiblement contrarié Chris soupire. Dans un geste de mauvaise humeur, il prend la couverture qu'il laisse traîner. Derrière lui Vic porte le panier trop lourd pour elle. Le garçon a déjà atteint l'arbre. Les mains sur les hanches il se retourne :

— Alors, t'arrives ?

— C'est lourd, se plaint-elle, tout essouflée.

— T'as qu'à te débrouiller, ma vieille, ça t'apprendra. C'est quand même pas de ma faute si on déménage encore une fois. Les filles c'est jamais content, ajoute-t-il en baissant la voix.

La fillette arrive enfin à la hauteur de son cousin. Elle laisse tomber le panier sur la couverture. Puis elle s'assied pour voir si la place est meilleure. Satisfaite, elle sourit. A genoux, le garçon la considère entre deux mèches de cheveux qui lui tombent raides sur les cils. D'un geste de la tête il les chasse de côté. Se dévoile son regard gris des mauvais jours. Elle ne paraît pas s'en émouvoir :

— Là c'est mieux, dit-elle, contente.

Chris ne répond pas. Il est plus âgé que sa cousine de deux ans et demi, et plus grand qu'elle d'au moins une tête. Tous ces mois et ces centimètres d'avance lui confèrent assurance

39

et autorité. Long et mince, tout en muscle, les gestes précis, il étale la couverture, soucieux de leur confort.

Vic est rêveuse. Elle va atteindre ses dix ans à la fin de l'été. Elle regarde au loin les champs qui s'imbriquent en un damier désordonné.

— Tu crois que c'est pour demain ? demande-t-elle.

— Tu parles que oui, je les ai entendus discuter au café !

Chris fouille dans le panier. Il en sort deux sandwiches roulés dans du papier. Il cherche encore, trouve des madeleines, des sablés faits maison, du chocolat, quelques cerises.

— Rose ne s'est pas moquée de nous, apprécie-t-il.

Il étale avec soin toutes ses richesses sur la couverture. L'œil brillant elle le regarde faire. Il distribue tout à parts égales. Leurs regards se croisent, ils se sourient.

Le soleil s'est levé. Un premier rayon a sauté la haie de ronces. Il effleure l'herbe encore humide de la nuit. Les coudes appuyés sur la couverture, les deux enfants assistent au lever du jour sur les champs de blé.

Chris a entendu dire que demain, comme chaque année, les paysans couperaient les blés. Demain ils viendront assister au massacre. En attendant, ils ont pris rendez-vous avec l'aube pour admirer leur paysage intact.

Après tergiversation Madame Rivoix avait fini par accepter cette escapade comme elle aurait accepté un nouveau jeu un peu fou, pas bien méchant après tout ! Rose avait préparé le pique-nique en bougonnant : « Et Madame qui leur passe tous leurs caprices ! Comme s'ils étaient pas mieux à rester dormir dans leur lit ! L'aube qu'ils disent... Est-ce que je me lève pour voir l'aube, moi ? Si je me lève tôt, c'est pour aller à l'église ou parce que j'ai à faire ! »

Un vent léger se lève. Il bouscule les têtes blondes qui se couchent par vagues successives. Demain le blé sera coupé, mis en bottes, ficelé. En perdant leur crinière, les champs auront perdu toute leur poésie. Une queue de cerise pincée entre les dents, les enfants regardent le soleil pointer au-dessus du bouquet d'arbres. Le paysage vibre sous la lumière devenue plus forte de minute en minute. Pensifs, ils se sont couchés sur le dos, les bras sous la nuque, attentifs au spectacle. Vic rêve à tout, à rien, à lui, à elle, à leur été. Mais comme d'habitude Chris ne tient pas en place :

— J'ai une idée… Si on y allait ?

— Oui, mais où ?

— Eh bien nous marier ! rétorque-t-il en haussant les épaules, comme si c'était une évidence.

— Aujourd'hui ? demande Vic toute rosissante de bonheur.

— Pourquoi pas !

Debout, Chris marque un temps, paraît réfléchir. La mèche châtain bordée de blond lui tombe sur l'œil. Un chandail rouille trop court, un short beige trop large, des genoux couronnés, lui donnent un air de gavroche distingué.

Assise sur la couverture sa cousine reste suspendue à ses lèvres. Craignant qu'il ne revienne sur sa décision, elle attend pâle et blonde dans sa robe couleur de lune.

— Cette fois, tu comprends, dit-il, je veux qu'on se marie pour de vrai à l'église. On trouvera des habits convenables. On mettra le temps qu'il faudra mais on sera beaux.

Les joues en feu, les larmes aux yeux, Vic acquiesce : elle sera sa femme.

Durant une semaine les cousins fouillent la maison. Passant du grenier à la cave, ils trouvent toutes sortes de trésors qu'ils cachent soigneusement à la vue des grandes personnes. Surtout de l'œil exercé de Rose qui, flairant quelque chose, a pris la tête chafouine d'une bête à l'affût. Quand d'aventure ils la rencontrent, ils lui donnent le change en prenant un air angélique qui tromperait le diable lui-même.

Au fond de vieilles malles en osier, en haut des placards, dans des tiroirs oubliés, ils ont déniché un boa, une écharpe, un brassard de premier communiant, une couronne de fleurs séchées, des colliers, un pantalon noir, un chapeau claque. Toute une panoplie hétéroclite est étalée sur le lit. Manque la robe de mariée. En désespoir de cause Chris prend dans l'armoire de sa cousine une robe blanche.

Tout va bien ou presque. Après essayage le pantalon s'avère trop grand, la robe trop courte. Ils choisissent une heure où

Rose est à ses fourneaux, où les deux vieilles dames sont installées dans le jardin, pour aller dérober la boîte à couture qui reste en permanence sous le guéridon du salon. A quatre pattes sur le parquet de la chambre, ils se lancent dans un savant raccommodage.

A gros points le pantalon est ajusté, la robe est allongée de tout son ourlet défait. Le brassard ainsi que l'écharpe sèchent sur le balcon. La couronne de fleurs est rafraîchie, le boa aéré, le chapeau claque brossé. Les enfants sont prêts.

Il leur faudra cependant attendre le prochain lundi pour se marier. Ce jour-là, les portes de l'église sont fermées, sauf celle qui donne dans la sacristie. Celle-là reste ouverte en permanence pour les dames patronesses qui viennent fleurir l'autel.

L'attente est longue : samedi passe, dimanche aussi ; enfin lundi arrive. Il fait un temps radieux. Dans la salle à manger une grosse mouche bourdonne, se cogne aux murs. Malgré la chaleur Marthe ne veut pas qu'on ouvre les fenêtres. Cela ferait courant d'air avec la cuisine. Autour de la table les enfants sont silencieux. Dès la dernière bouchée avalée, ils disent qu'ils vont faire une sieste. Madame Rivoix n'est pas dupe. Encore un jeu de leur invention, pense-t-elle. Magnanime, elle autorise ses jeunes hôtes à quitter la table.

Sans faire de bruit, ils montent l'escalier. A l'étage ils se séparent souriants mais troublés. Dans leurs chambres les attend leur tenue de mariés.

Quelques minutes plus tard Chris frappe à la porte de Vic.

— Entre... dit la petite fiancée d'une voix timide.

Conscient de l'importance du moment, Chris pénètre dans la pièce l'air solennel. Il est magnifique. Autour de son cou il a noué son brassard en guise de cravate. Son chapeau haut de forme tient presque droit, il est bourré de papier pour éviter qu'il ne lui tombe sur les yeux. Face à son prétendant Vic reste bouche bée d'admiration. Mais elle, elle n'ose se regarder dans les yeux gris ardoise qui se sont fixés sur elle. Petite fiancée timide, elle sourit d'un sourire un peu inquiet. Lui ne dit rien. Pour ne pas perdre contenance, la fillette se tourne face à la glace. Avec un joli arrondi des bras, elle place sa couronne de fleurs sur ses cheveux.

Cette fois Chris se décide :

— Vic, ça ne va pas !

Le couperet est tombé. Enfin elle ose se regarder : elle a l'air d'une première communiante, genre Cendrillon un peu souillon dans sa robe à l'ourlet défait, avec son boa autour du cou et sa couronne de fleurs fanées. C'est tragique : elle n'a rien d'une mariée.

Elle se voit telle qu'elle est. Sous la révélation, elle chancelle : le monde s'écroule, son rêve avec. Les yeux remplis de larmes, elle reste figée devant son image. Étranglée de désespoir, aucun son ne peut sortir de sa gorge ; elle a honte.

Le garçon paraît sincèrement embarrassé. Il réfléchit. Puis il s'écrie :

— Je sais !

Oubliant toute précaution, il sort en trombe de la chambre, pour revenir quelques instants plus tard :

— Voilà ce qu'il te faut ! dit-il en brandissant fièrement la nappe brodée des grands jours.

En un tournemain il entortille sa fiancée. Maintenant non seulement sa robe est longue mais elle a une traîne.

— Attends, ne bouge pas !

Il ouvre l'armoire, fouille sur les derniers rayons où sont placées les couvertures, en sort une moustiquaire qu'il place sur la tête de Vic avec, par-dessus, la couronne de fleurs. Cette fois elle est prête.

C'est l'heure du café. Tante Marthe, grand-mère et Rose discutent dans le salon. Avec mille ruses, les enfants réussissent à sortir de la maison sans attirer l'attention.

Dehors, il fait un soleil de plomb. Le soleil tombe abrupt sur la terrasse. Ils longent la maison et aucune ombre ne les protège. Ils courent dans la grande allée. Au moindre bruit ils se cachent derrière un tronc d'arbre. Ils passent devant la niche de Pataud, qui, ne les reconnaissant pas, se met à aboyer.

Comme prévu la porte donnant sur la sacristie est ouverte. Les fiancés pénètrent dans l'église. Elle, son bouquet à la main, lui, son bleuet à la boutonnière, ils s'agenouillent sur la première marche qui monte à l'autel.

La main dans la main, ils sont venus se marier devant Dieu et pour de vrai.

VII

Le soleil finissait juste de s'évanouir derrière la barrière du « pré au cerf » quand la voiture s'arrêta sur la terrasse. Agathe et Marthe revenaient d'un goûter. Elles sortirent de la voiture le teint un peu rouge et l'œil brillant. Rose les aida à s'installer au salon. Depuis plus d'une heure elle guettait leur arrivée d'une des fenêtres de la salle à manger.

— Mon Dieu, dans quel état ! Dans quel état Madame revient !

Volubile, Marthe raconta sa journée. Après le dîner la maîtresse de la Musardière annonça à sa petite-fille qu'elle avait invité Madame de Fontenac pour le lendemain après-midi. Tout d'abord Victoire se montra contente : sa grand-mère avait toujours aimé recevoir. Cela faisait partie des rites de l'été. Ce n'est que plus tard, dans le calme du grand salon, où on n'entendait que le balancier de la pendule et le cliquetis des aiguilles, qu'Agathe Rivoix expliqua que son amie serait accompagnée de sa fille et de ses quatre petits-enfants.

Cette fois Victoire protesta. Elle fit remarquer qu'elle avait entendu parler des enfants, qu'ils avaient la réputation d'être mal élevés.

— Ragots, ma petite-fille ! répondit Agathe Rivoix.

Victoire tint bon. Elle rétorqua qu'ils étaient des brise-fer. Elle joua sur la corde sensible.

— Et si, grand-mère, ils allaient saccager les fleurs, piller le verger ou encore marcher sur les cultures du potager ?

— Mon petit, c'est possible, mais c'est trop tard pour dire non. Je compte sur toi pour que tout se passe bien.

Ce soir là, dans son lit, Victoire chercha à comprendre pourquoi elle était devenue si véhémente à l'idée que ces enfants pourraient venir à la Musardière. Une partie de la nuit son esprit divagua, entrecoupant son sommeil de rêves échevelés où les cousins étaient chassés à coups de bâton par les enfants Fontenac.

Elle avait fini par se réveiller, haletante, le front en sueur. Elle se sentait dépossédée. Elle ne voulait pas que d'autres enfants viennent brouiller les pistes, voler leur paix, peut-être leur secret.

Longtemps elle somnola, se battant contre elle-même, confondant ses étés. Elle finit par se rendormir.

La matinée était déjà avancée quand elle s'éveilla. C'est en ouvrant grand les volets que définitivement les chimères se dissipèrent : que pouvaient quelques malheureux enfants sur cette campagne paisible ? S'il était donné à tous de voir mourir un coucher de soleil, d'entendre le vent se couler entre les arbres, de sentir le parfum piquant de l'herbe après l'orage, il n'était pas donné à tous de l'apprécier.

« Après tout, se dit Victoire, un après-midi était vite passé... »

A quatre heures cinq, la voiture attendue stoppa devant le perron. Aussitôt toute une marmaille plus ou moins bien peignée sortit par les portes arrière. Petite femme mince au sourire avenant, Madame de Fontenac apparut à son tour. Sa robe jonquille lui donnait un air de jeune fille.

En quelques secondes régna la confusion. Déjà éparpillés, les enfants couraient, sautaient, hurlaient sur la terrasse où deux tables avaient été dressées. D'un mot la fille de Madame de Fontenac réunit son monde. Elle était courtaude, elle avait le poil hirsute. Victoire se demandait comment Madame de Fontenac avait pu engendrer une femme d'apparence si vulgaire.

Furent présentés à la famille deux garçons dans l'âge ingrat. Puis les jumeaux, Marc et Martine : deux boules aux fossettes joyeuses. Enfin une petite Jeanne au regard clair et au sourire timide. La seule à ressembler à son aïeule.

Les grandes personnes s'installèrent sous l'ombre du tilleul. A l'autre table Victoire s'assit près de la fillette. Elles conversèrent, devinrent amie.

Le goûter terminé Victoire proposa :

— Si tu veux on débarrasse la table et après on va se promener.

Elles prirent le chemin ombragé qui longeait la maison jusqu'à la cuisine.

Sur le banc de pierre, là où se tamisait le soleil de l'ombre balancée des feuillages, le chaton se prélassait, le ventre offert.

— Je peux le caresser ? demanda Jeanne.

Victoire poussa la porte. Par contraste avec le dehors, la cuisine était si sombre qu'elle dut marquer un temps d'arrêt. Elle entendit marmonner. Elle se retourna. Aperçut Rose assise près de la fenêtre derrière laquelle jouait Jeanne. Elle était installée sur une chaise dont une partie de la paille pendait par en dessous, à moitié arrachée : c'était là que la vieille Moune aimait à se faire les griffes.

Rose regardait Jeanne, dans sa robe bleu pâle, jouer avec le chat. Il n'y avait pas si longtemps c'était une autre petite fille qui jouait avec une grosse chatte, toute blanche celle-là. Cette image lui fendait le cœur. Alors, de mauvaise humeur, elle dit en réajustant son ouvrage entre ses mains :

— Attention à la petite, il pourrait la griffer si elle l'excite de trop !

— Ça ne risque rien, Jeanne est douce.

Rose haussa les épaules :

— A-t-on jamais vu pareille marmaille... et malfaisante avec ça !

A cause de Jeanne, Victoire fit signe à Rose de baisser le ton, mais celle-ci reprit courroucée :

— Encore heureux que j'étais là ! autrement mes pauvres poules... j'aime mieux pas savoir dans quel état je les aurais trouvées ! Avec des pierres les garnements ! Mais t'en fais pas, ils ne reviendront pas de sitôt traîner par ici !

— Sais-tu au moins où ils sont allés ? coupa Victoire inquiète.

Comme par défi, de la colère dans les yeux, Rose planta son aiguille dans le torchon, juste à l'endroit où un rayon de soleil était venu s'étaler.

— Ah ça ! pour sûr qu'ils ont déguerpi sans demander leur reste. Tu crois quand même pas que ce sont des caresses que j'leur ai données !

— Bon, Rose, je t'en supplie, n'en parle pas à grand-mère, je pars à leur recherche pour éviter qu'ils ne fassent d'autres bêtises.

La vieille fille acquiesça en silence. Sous ses sourcils broussailleux, elle regarda par la fenêtre partir Victoire et Jeanne.

Dehors les oiseaux s'égosillaient. C'eût été une fin d'après-midi merveilleuse pour flâner s'il n'y avait pas eu ces garnements à chercher. Victoire leur en voulut de troubler sa quiétude.

Elle s'en allait au hasard, comptant sur son instinct pour retrouver les garçons. De temps à autre elle s'arrêtait pour écouter : aucune voix, aucun bruit ne lui parvenaient. Ce silence l'inquiétait.

Elle regarda Jeanne, lui sourit : comment expliquer à cette enfant que ce jardin avait toute une histoire, tout un passé ? Elle réfléchit : quand Chris avait une bêtise à faire c'était toujours dans le petit bois qu'il se cachait.

Elle décida de monter jusqu'au faîte de la colline. D'un pas rapide elle gagna les premiers arbres. Derrière elle trottinait Jeanne. Elle entendit un craquement puis un deuxième. Elle courut. Entra dans le bois. Au bout de sa main Jeanne essouflée se faisait lourde.

— Pierre ! Jean-Marie ! C'est vous ?

Personne ne répondit. Elle courut, s'arrêta net : au pied du banc des Amours s'enchevêtrait un amas de petites branches. Comme un dernier rameau atterrissait à ses pieds, la colère l'envahit, la submergea. Elle cria. Son ton était tel que les deux garçons apparurent enfin.

— Que faites-vous là ?

— Ben... c'est juste quelques branches ! répondit l'aîné.

— Quelques branches ? Non mais, vous êtes fous !

— C'est pour faire une cabane !

— Partez, fichez-moi le camp, vous avez tout saccagé.

Les garçons s'éloignèrent non sans se retourner pour regarder cette folle qui vitupérait.

Les vauriens partis, la colère de Victoire disparut d'un coup. Elle resta sans bouger, les yeux fixés sur les branches, dont certaines feuilles n'avaient pas encore eu le temps de virer du vert tendre au vert de l'été, plus profond, plus sourd.

Une voix douce la tira de ses songes :

— Il faudrait peut-être que je rentre aussi, dit Jeanne.

Étonnée, elle regarda la fillette. Elle avait oublié que ces voyous étaient ses frères. Prenant soudain pitié de cette enfant qui était venue au monde en se trompant de famille, elle dit :

— Tu as raison, Jeanne, il faut rentrer.

Silencieuse, penchée au-dedans d'elle-même, elle écoutait les rumeurs et ses remous. Puis, arrivée à l'orée du petit bois, elle se sentit allégée, comme dégagée d'un poids. Quand derrière les branches d'un cerisier elle aperçut un morceau du toit de la Musardière, elle fut comme happée. Elle dévala la pente herbeuse moirée d'ombre : elle allait enfin se retrouver seule, se disait-elle, et il n'y avait plus que cela qui comptait.

VIII

La nuit s'estompait pour laisser place au jour encore hésitant. Les derniers bruits de l'une se mêlaient aux premières rumeurs de l'autre. La hulotte dans son arbre lançait ses ultimes appels, tandis que le coq s'essayait à ses vocalises.

L'aube et le crépuscule étaient les heures préférées des deux cousins. C'était, disait Chris, l'heure où les gens meurent, où les enfants naissent ; l'heure mystérieuse située aux confins du jour et de la nuit, où le sort du monde se décide. Il disait aussi que tout est écrit dans les étoiles. Et que le vent et les nuages étaient là pour le leur raconter.

Assise sous le tilleul, Victoire renversa la tête en arrière. Elle regarda le ciel pâlir. Elle voulait se laisser bercer par toute cette douceur, retrouver ce qu'elle avait aimé enfant : le ton bourru de Rose, le rire de tante Marthe, le bruit du sécateur au-dessus d'un massif de fleurs. Revivre tous ces jours d'été où les enfants avaient cru que rien ne se passait et où tout se décidait. Eux seuls auraient le pouvoir de lui ramener son cousin. Elle l'avait aimé d'un amour innocent. Jamais elle n'avait eu peur de le perdre. Était-ce là toute sa faute ?

Maintenant Chris savait. Il savait comme savent les arbres ou les nuages et comme raconte le vent. Pourquoi ne venait-il pas le lui dire à elle ?

Destin ! A quel moment les avait-il suivis, rattrapés ? Destin, à quel instant précis avait-il décidé pour eux ?

Les jours à la Musardière avançaient implacables et monotones. Au milieu de toute cette solitude elle se savait patiente. Cette patience serait sa force.

Cinq coups sonnèrent. Ils montaient de la plaine. Assourdis par la colline, cinq autres vinrent s'enchevêtrer. C'était dimanche et encore trop tôt pour le petit déjeuner. Victoire hésitait à se rendre à la cuisine. Rose était connue pour son sommeil léger : « Que Madame ne se fasse pas de souci. J'ouis mieux qu'un chien de garde ! » se plaisait-elle à répéter.

La servante n'aimait pas que quelqu'un vienne fourrager dans sa cuisine. Si elle entendait le moindre bruit, elle ne manquerait pas de glisser par la porte son œil rond et sa face de chat sur le qui-vive. Aujourd'hui, jour du Seigneur, elle ne serait pas debout avant sept heures. Sitôt après, elle partirait vêtue de ses habits du dimanche, qui consistaient l'été en une robe noire à impressions blanches, des bas toujours opaques et sa mantille « cadeau de Madame ». Avec son cabat à roulettes elle irait par le raccourci qui monte à Charmille.

« Encore trois bonnes heures à attendre » se dit Victoire. Elle s'en alla par l'allée. Derrière elle le jour se levait.

A petits pas Marthe glissait sur le parquet. Elle allait et venait entre sa salle de bains et sa chambre. Sur le bureau, placée devant la fenêtre, était posée la cage à oiseaux. De temps à autre, elle lançait : « Petits ! Petits ! » et les perruches lui répondaient.

Tout à l'heure, en ouvrant les volets, elle avait vu Quentin traverser la terrasse. Il était en tenue de jardinier, bien que ce fût dimanche. L'été il n'aimait pas quitter la Musardière, même pour une journée. En cette saison il avait trop de travail. Il avait fait une halte devant les fenêtres de la salle à manger. Elle l'avait entendu longuement converser avec sa sœur.

Agathe était une lève-tôt, elle une lève-tard. Toujours seule, qu'aurait-elle fait de toutes ces heures en plus ? Elle avait pris l'habitude de se lever tard depuis qu'elle était en deuil de son fils. Jean était mort au front, quelques jours avant l'armistice. C'était en 1944. Il avait vingt ans. Dormir équivalait alors à quelques heures de souffrance en moins. A cette époque elle aurait voulu ne plus jamais se réveiller. Marthe regarda la photo placée dans son cadre en argent. Comment avait-elle pu lui survivre ?

Ses yeux glissèrent sur la photo d'à-côté. Un adolescent lui souriait, une mèche de cheveux lui tombait sur les yeux. Il avait ce petit air railleur d'un garçon qui a fait une bêtise. Il ne se passait pas de jours sans qu'il n'en fît. Chris, elle l'avait aimé comme son propre petit-fils. Il était si plein de vie. Sur ces photos l'oncle et le neveu avaient presque le même âge. Aussi se confondaient-ils dans sa mémoire. « Tant de deuils », se dit-elle.

Marthe se retourna, fit une grimace : encore ce mal de tête. Elle décida de ne pas descendre à la salle à manger. Quand Rose s'apercevrait de son absence, si elle était d'humeur serviable, elle lui apporterait son thé. Ce dimanche elle aurait encore un bonne raison d'échapper à la messe.

Croyante, elle l'était, mais les prêtres, la messe... Et monter au village par cette chaleur ! Décidément ce mal de tête arrivait à point. Elle allait se faire dorloter. Aujourd'hui elle serait une vieille petite fille. Marthe se retourna vers ses perruches. « Petits, petits ! » dit-elle sur un ton soudain enjoué.

Dimanche, le jour de la robe fermée jusqu'au menton, de la mantille, des gants blancs.

— Et le pantalon ? avait demandé la fillette un jour d'audace.

— Au diable le pantalon ! avait répliqué Agathe Rivoix.

Cette réponse lui avait donné à réfléchir. Sans nul doute elle se sentait quelque affinité avec le diable.

Piquée sur une chaise, sa robe fermée jusqu'au dernier petit bouton de col, l'air emprunté, Victoire attendait sa grand-mère. Pour passer le temps, elle mâchonnait quelques brindilles d'herbes, quand elle entendit tinter la cloche du portail. Elle scruta l'allée, ne vit rien. « Un ami de Quentin » pensa-t-elle.

Comme Pataud ne cessait d'aboyer, toujours juchée sur sa

chaise elle jeta un nouveau coup d'œil. Une silhouette d'homme remontait l'allée. Intriguée, elle se pencha, manqua de tomber. Étonnée de cette intrusion, elle ne quittait pas l'individu des yeux. Elle attendrait qu'il se rapproche pour lui signifier que la Musardière n'était pas un parc public pour promeneur du dimanche, mais une propriété privée. Elle allait l'interpeller quand elle reconnut François Vallier.

— Bonjour, nous nous connaissons, je crois... Je voudrais remercier Madame Rivoix de son invitation et lui porter ma réponse.

De taille moyenne, l'allure sportive, il souriait. Un brin de moquerie traînait dans son regard. Elle allait lui répondre, le remettre vertement à sa place, quand elle se souvint de son air affreux de petite fille endimanchée.

Honteuse, elle se leva. Dans sa précipitation son ourlet de robe se prit à un coin de la chaise qui bascula. Vexée, elle s'enfuit vers la maison.

Elle l'entendit rire.

Dans le vestibule elle croisa sa grand-mère qui, chapeautée, s'apprêtait à partir pour la messe. Sans s'arrêter, Victoire monta rageusement les escaliers.

— Tu t'en vas ? C'est pourtant l'heure...

La voix étonnée de sa grand-mère l'arrêta dans sa course, alors qu'elle atteignait la dernière marche.

— Je monte juste dans ma chambre chercher un mouchoir. Il... il y a quelqu'un dehors qui vous demande.

— Quelqu'un ?

Victoire ne prit pas le temps de répondre. Déjà elle se trouvait devant la porte de sa chambre. Elle hésita, décida de frapper plutôt chez sa tante dont les fenêtres donnaient sur le perron.

Elle colla son oreille contre la porte. Mêlés aux chants des perruches, elle entendait des glissements de pas, des tiroirs qu'on ouvre et referme. Marthe avait annoncé ce matin qu'en raison d'un fort mal de tête, elle garderait la chambre jusqu'à l'heure du déjeuner.

— Entrez... dit Marthe d'une voix éteinte.

Victoire poussa la porte.

54

— Ah ! c'est toi ! reprit-elle, tout à coup plus alerte. Tu n'es pas encore partie pour la messe.

Victoire trouva cette pauvre excuse :

— Nous partons. Je voulais simplement vous demander si vous aviez besoin de quelque chose.

— Il n'y a rien à faire qu'à attendre. D'ailleurs tu vois, d'avoir gardé la chambre ça va déjà beaucoup mieux ! Mais ferme donc la porte, ma chérie, je n'aime pas les courants d'air.

Cette chambre était la seule pièce de la maison qui n'avait pas été refaite. Malgré un air suranné, elle restait confortable. Ici, dans l'écrin de sa jeunesse, Marthe la moderne, venait se ressourcer une fois par an.

Victoire s'approcha de la fenêtre, regarda par-dessus le balcon : sa grand-mère était en grande conversation avec son visiteur. Elle haussa les épaules.

Marthe remarqua le manège de sa nièce, feignit ne s'apercevoir de rien. Une fois encore Victoire regarda en bas. Le garçon prenait congé. Soudain pressée elle se précipita vers la porte.

— Je m'en vais vite, c'est l'heure !

— Mais ma chérie, prends donc un chocolat avant de partir...

Avec un air gourmand Marthe tendit une boîte de truffes, provision personnelle qu'elle ne manquait jamais d'apporter dans ses bagages.

Ne voulant pas refuser, Victoire puisa dans la boîte dorée. Elle gagna la porte, en passant rencontra son image dans la glace : « Au diable ! » dit-elle à ses airs endimanchés. Et brusquement elle referma la porte sur elle.

Victoire s'en était allée comme elle était venue, dans un tourbillon.

Marthe, qui n'avait rien dit mais tout observé, à son tour regarda par-dessus le balcon : au tournant de la grande allée une silhouette de jeune homme disparaissait. Elle hocha la tête :

— Ah bon !

Et ravie elle remplit son sourire d'une grosse truffe poudrée.

IX

Le lendemain le soleil avait brillé jusqu'à midi. Puis des nuages étaient venus tourner autour de la Musardière comme des vautours au-dessus de leur proie.

Pendant le dîner l'orage lança ses premiers coups de boutoir. Sous le lustre illuminé de la salle à manger les convives s'étaient tues. Quand Rose apporta la salade, un grondement sourd, aussi menaçant qu'une bête en colère, roula du fond du paysage, pour finalement éclater, formidable, au-dessus de la Musardière. D'une violente déchirure se déversa une lumière brusque. Toutes les lumières se mirent à vibrer, les lumières du lustre à clignoter.

Dans cette atmosphère de fin du monde, Marthe se tenait roide. Elle cherchait à se maîtriser. Mais, à chaque nouvel éclair, son regard s'affolait, exprimant une peur insurmontable venue du temps lointain où elle n'était encore qu'une petite fille.

C'était à la Musardière. Marthe avait trois ans. Dehors l'orage grondait. Elle avait oublié sa poupée sous un arbre. Pour aller la chercher, elle avait échappé à la surveillance des grandes personnes. Dehors, elle avait couru aussi vite qu'elle l'avait pu. Elle allait atteindre la pelouse, quand un éclair foudroya l'arbre. Il prit comme une torche. A quelques mètres la fillette était restée pétrifiée : de sa poupée il n'était resté que des fils de fer calcinés. De l'arbre rien.

Un deuxième éclair inonda la salle à manger d'une lumière

blanche aussi subite que brutale. Puis la maison fut plongée dans le noir.

En attendant que Rose les secourût avec une bougie, la voix de la maîtresse de maison s'éleva, nette dans la nuit.

— Marthe, tu devrais monter dans ta chambre. Il ne faudra pas compter sur la lumière avant demain matin.

A cet instant Rose apparut dans un halo tremblé. La flamme éclairait son visage d'une lumière dansante qui lui donnait presqu'un air de douceur.

— Quel sale temps ! dit-elle, histoire de meubler le silence.

Elle alluma les six bougies du chandelier avec des gestes lents et précis. Petit à petit la salle à manger reprit vie. Saisissant la perche tendue, Marthe se leva :

— Tu as raison, je vais regagner ma chambre, j'ai une telle migraine !

Sa tante partie avec Rose, Victoire se retourna vers une fenêtre pour se rassasier du spectacle. Elle aimait l'orage, son approche, cet extrême qui se situe peu avant la rupture. L'air s'était chargé d'électricité. Elle avait senti le fluide courir, l'agacer jusqu'au bout des doigts. Cette guerre froide l'avait tenue en haleine jusqu'au moment où le ciel s'était disloqué. Dans ce chaos, elle avait eu alors la sensation d'apercevoir du surnaturel. Elle avait senti les murs prêts à parler.

Un coup de vent fit vibrer les fenêtres. La pluie se mit enfin à tomber. Par rafales les gouttes étaient rabattues contre les vitres. L'orage s'éloignait.

Assise dans la salle à manger, Victoire se souvenait que chaque été deux ou trois orages violents faisaient sauter l'électricité jusqu'au matin. Dans le noir son cousin en profitait pour lui faire peur. Plus le tonnerre était fort, plus il se déchaînait.

Redescendue de l'étage, Rose allait traverser la salle à manger, quand Madame Rivoix l'interpella.

— Rose, nous passerons directement au dessert.

La vieille fille n'aimait pas changer l'ordre de son dîner. En bougonnant elle s'en était allée par l'étroit couloir reliant la salle à manger à la cuisine. Elle revint quelques instants plus tard, le bougeoir dans une main, le dessert dans l'autre. Victoire allait se servir quand dix griffes s'agrippèrent à sa jupe.

Elle poussa un cri. De dessous la table sortit un miaulement plaintif.

Inquiète de la réaction de sa maîtresse, Rose se pencha.

— Veux-tu t'en aller de là, petit voyou ! dit-elle en distribuant des coups de torchons sous la table.

Le chaton couchait ses oreilles mais ne bougeait pas.

— Il faisait si mauvais temps que j'ai fini pas faire rentrer c'te pauvre bête ! Il miaulait à fendre l'âme... expliqua Rose toute rouge de confusion.

Prise en flagrant délit de tendresse la vieille fille cherchait à se disculper. Tous ces derniers mois elle avait crié suffisamment haut : « Après tout un chat c'est fait pour vivre dehors ! »

— Tu as bien fait, Rose, dit Agathe Rivoix l'air dégagé. D'ailleurs il faudrait dès ce soir lui préparer un panier à la cuisine. Depuis la mort de ta Moune, les rats sont revenus.

Bouche bée, Rose écarquillait ses yeux derrière ses lunettes rondes cerclées d'acier.

— Alors, si c'est Madame qui le dit !

Dans les yeux de la vieille fille brillaient deux larmes contenues. Elle partit tenant serré entre ses deux gros seins le fils de la Moune. Sur les murs du couloir se refléta l'ombre massive de Rose dont le chignon s'était baissé vers son nouvel ami. Devant cette image volée aux murs indiscrets, les deux convives se taisaient émues et complices.

Une dernière lueur jaillit du ciel. Quelques grondements roulèrent dans le lointain. Il semblait que l'orage s'éloignait pour de bon. Pourtant, comme un diable qui reviendrait à la charge, mécontent d'avoir dû céder la place, souffla une violente bourrasque. Une fenêtre s'ouvrit laissant s'engouffrer la pluie. Victoire se leva pour la fermer.

Quelques secondes elle regarda le vent écheveler le tilleul. Ce soir n'était pas un soir comme les autres ; elle se sentait happée par cette nuit. Elle aurait aimé partir et marcher sous la pluie. Elle ne pouvait plus rester dans cette salle à manger. Autour d'elle, en elle, elle sentait trop de tumulte, trop d'émotion. Aussi eut-elle une idée.

— Grand-mère, si nous allions tenir compagnie à tante Marthe ?

— C'est une idée, nous y prendrons le dessert dans sa chambre. Va dire à Rose qu'elle nous prépare un plateau.

Victoire se précipita dans l'étroit couloir. Dans sa hâte elle avait oublié de prendre une bougie. Aussi est-ce à tâtons, dans le noir, qu'elle se dirigea vers le rai de lumière qui passait sous la porte, à l'autre bout.

Dans la cuisine Rose commençait sa vaisselle. Au plafond les ombres se déplaçaient, énormes. A côté de l'évier était posé un bougeoir dont la flamme tremblait au moindre déplacement d'air. Le chaton tapi tout près en suivait le va-et-vient, comme si elle était une proie vivante.

— Rose ? appela Victoire.

Sur le visage qui se retournait elle crut déceler un vague sourire. Aussi se risqua-t-elle :

— Comment vas-tu l'appeler ? « Voyou », ça lui va bien, je trouve.

Et pour ne pas s'attirer la colère de la vieille ronchon, très vite elle changea de sujet.

— Tu crois que ce mauvais temps va durer ?

Avec application Rose s'essuya les mains à son torchon. C'était signe qu'elle réfléchissait.

— Au changement de lune il n'a pas fait si vilain que ça... Il ferait beau voir que le temps se gâte déjà ! Le potager n'a pas eu son compte de soleil.

Captivée, ne pensant plus à rien, Victoire regardait la servante aller et venir, se déplacer entre l'ombre et la lumière. Ici elle se sentait à l'abri. Le temps n'avait pas de prise. Un moment elle se laissa aller à ce bien-être. Et c'est seulement en voyant Rose préparer le plateau des tisanes qu'elle se rappela l'objet de sa venue.

— Rose ! J'étais justement venue te dire que grand-mère et moi allions prendre notre dessert dans la chambre de tante Marthe !

Les mains calées sur les hanches Rose se retourna. Elle avait cet air sévère qui autrefois faisait si peur aux enfants.

— T'es donc toujours autant dans la lune, que je suis obligée de refaire un plateau !

Puis, s'adoucissant : « Allez, va ! Dans cinq minutes je serai là-haut. Passe par l'office prendre la lampe à pétrole qui est sur l'escabeau. Ce sera toujours ça de mieux comme éclairage, et avec ta tête toujours dans les nuages ça t'évitera de ficher le feu à la maison ! »

La tête calée sur ses oreillers, Marthe régnait sur sa chambre. Dans ses atours de nuit, roses et vaporeux, elle ressemblait à un bonbon perdu dans une boîte capitonnée.

Les deux parts de tarte avalées, le tilleul bu, Victoire s'installa sur une bergère placée de l'autre côté du lit. Elle écoutait les trois femmes qui devisaient avec ce ton feutré des veillées d'autrefois. Même Rose avait fini par accepter de s'asseoir.

De temps à autre, derrière les rideaux tirés, une rafale de vent faisait crépiter la pluie contre les fenêtres. Victoire se laissait glisser dans un demi-sommeil où le rêve et la réalité se chevauchaient. Sous ses paupières alourdies elle revoyait les enfants.

Ils sont assis sur son lit. Toutes fenêtres ouvertes ils contemplent l'orage.

Chris assis en tailleur raconte des histoires de revenants. Elle, à moitié cachée sous ses couvertures, écoute, terrorisée. Mais cette peur est délectable. Puisque Chris est là, rien ne peut lui arriver.

X

Le baromètre remonte, annonça la maîtresse de la Musardière, après avoir tapoté son appareil.

Sans lever le nez de son ouvrage, sa sœur haussa les épaules. Depuis la veille ses douleurs l'avaient reprise. Ce signe ne la trompait jamais.

— Puisque je t'ai dit que j'avais mal aux jambes !

Marthe était assise sur sa bergère, tout à côté de la fenêtre à cause de sa mauvaise vue. Elle terminait quelques travaux de couture sur des draps de maison, rapiécés maintes et maintes fois déjà. Reliques de l'innocence, ils étaient témoins de tant d'espoirs évanouis. Des heures durant deux jeunes filles s'étaient penchées, appliquées et rêveuses, sur leur trousseau. Les yeux rivés sur des petits points, le regard parti à la recherche d'un destin inconnu, perdus dans des rêves jamais réalisés, elles avaient espéré.

C'est ainsi qu'à dix-huit ans, Marthe, l'aînée des deux sœurs, avait cru rencontrer son destin. La jeune fille était heureuse, le fiancé séduisant. Leur bonheur n'avait duré que le temps d'une fête. Il ne restait de ce jour que des photos jaunies ct une vieille dame assise tout à côté de la fenêtre à cause de ses yeux usés. Usés comme les draps qu'elle rapiéçait, témoins de tant d'espoirs perdus.

Quelques années plus tard, elle se remariait à un avocat parisien qui s'empressait de se tuer dans un accident d'automobile. Elle était enceinte d'un fils qui resterait unique.

Face à sa sœur, Agathe discourait tranquillement sur les menus faits de la matinée. Elle comptait les morceaux de dentelle sauvés de draps trop abîmés. Dedans elle taillerait des porte-serviettes. La vie lui avait été, à elle, plus clémente. Elle avait passé de longues années aux côtés d'un époux qui l'avait aimée et lui avait donné deux enfants : les parents de Vic et de Chris.

A quelques fauteuils de là Victoire rêvait. Elle se surprenait à envier ces femmes à la tranquille assurance. Elle aurait aimé, elle aussi, avoir un ouvrage qui lui occupât, sinon l'esprit, du moins les mains ; se raccrocher à un canevas-ébauche d'avenir. Au lieu de cela, à dix-sept ans, elle pensait n'avoir plus qu'un passé.

En ce jour pluvieux et monotone, elle se sentait des fourmis dans les jambes. Il fallait qu'elle bouge. Elle se leva, sortit après avoir adressé un sourire aux vieilles dames qui, croyait-elle, ne la voyaient pas.

Mais que peut-on pour une enfant qui fait ses premiers pas dans la vie, si ce n'est souffrir pour elle en silence ? Les deux sœurs, penchées au-dessus de leur ouvrage, par leur présence discrète, cherchaient à aider cette enfant de leur mieux.

Elles aussi avaient souffert. Elles avaient passé trois longs étés sans entendre courir dans l'escalier, sans entendre rire ou chuchoter sous les fenêtres. Sans entendre les jérémiades de Rose qui, aussi ébouriffée qu'un coq en colère, apparaissait régulièrement hors d'elle-même pour se plaindre des garnements ; sans que Quentin, le chapeau de paille à la main, vienne réclamer un rateau ou une pelle disparus...

Trois étés de douleur.

Trois étés de tourments.

Trois étés où la cloche, qui d'ordinaire ponctuait les heures de repas, était restée silencieuse dans un jardin sans vie.

Et maintenant cette enfant qui leur revenait en jeune fille, le cœur désespéré, l'âme à la dérive et le regard absent. Chaque parole lui était une brûlure ; seul le silence pouvait lui être encore un apaisement.

Victoire restait là à regarder le tilleul s'égoutter sous la pluie. Dans le ciel apparaissaient de temps à autre des déchirures par lesquelles une lumière crue se déversait.

Elle fit quelques pas dans le corridor. Derrière l'escalier, elle aperçut la porte de la bibliothèque entrouverte. Elle allait la refermer quand elle changea d'idée.

Après s'être assurée que personne ne pourrait la surprendre, elle se glissa dans la pièce carrée qui sentait encore la pipe et le vieux cuir. Rien n'avait changé depuis le décès du maître de maison : le plaid laissé sur le fauteuil, le buvard taché d'encre, le livre posé sur un coin de cheminée.

Rose, sous l'œil aiguisé de « Madame », avait seule le droit de toucher aux « reliques » pour les dépoussiérer. Une fois par mois, les deux femmes venaient dans ce sanctuaire aiguillonner leurs souvenirs, à petits coups de chiffon.

Victoire parcourut les volumes rangés dans la bibliothèque. Il y a quelques années, il lui aurait fallu un tabouret pour atteindre le troisième rayon : le rayon défendu.

Elle passait en revue les livres. Savait-elle seulement ce qu'elle cherchait ? Soudain elle s'arrêta sur un titre écrit en lettres anglaises et frappé d'or.

Fébrilement elle tira le livre, le cacha sous son chandail et courut à l'étage. Au fond du couloir, devant une porte basse, elle marqua un temps. Pour mieux se concentrer elle ferma les yeux : les verrait-elle ? Elle tira la porte... Ils étaient là, ils étaient bien là ! Vic et Chris se disputaient à voix basse.

— C'est moi !

— Non, je te dis que c'est moi !

Eux enfin ! Avec précaution elle referma derrière elle : cette fois ils ne lui échapperaient pas.

Pièce retirée du monde, la lingerie était le refuge des cousins les heures de pluie. Ces jours-là ils étaient censés faire une sieste. Mais à peine dix minutes se passaient que, suivant un code connu d'eux seuls, ils se donnaient rendez-vous dans le couloir.

Pieds nus, les sandales à la main, ils pouffaient de rire. A pas de loup ils couraient se cacher dans ce réduit aux volets toujours clos. Du bas, montait à eux le caquetage des poules.

Sans bouger Victoire écoutait les enfants.

— Tu te rends compte, c'est écrit par un marquis ! dit Chris à sa cousine.

Dans la pénombre les enfants se chicanent. La fillette tente sa chance : un marquis ! Elle supplie :

— C'est mon tour...

— Mais ma vieille, tu sais bien que tu bégaies ! Tu ne sais même pas mettre le ton. C'est de la poésie ça, tu comprends !

Comme d'habitude elle cède.

Fort de sa supériorité il annonce avec emphase :

— « Justine ou les malheurs de la vertu », par le marquis de Sade.

Après une pause il commence sa lecture, pendant que sa cousine s'efforce d'oublier sa défaite.

Les mots passent, les phrases se forment. Mais le texte ne chante pas comme d'habitude. Vic ne comprend rien. A force de se contraindre elle sent ses paupières s'alourdir. Elle s'assoupit.

Une porte claque. Les enfants sursautent. Après un silence Chris reprend sa lecture. Même si elle l'ennuie, pour rien au monde il ne l'avouera.

Une deuxième fois la porte claque. Du vestibule s'élèvent les voix des femmes. Sans se concerter les enfants se mettent debout. Par prudence ils décident de regagner chacun leur chambre. Parant au plus pressé Chris cache le livre sous une pile de draps.

Quelques jours plus tard :

— Malheureux, qu'est-ce que vous avez encore fait ? s'affole Rose. Allez vous laver les mains, et toi Vic arrange tes cheveux ! Tu sais bien que « Madame » ne t'aime pas avec ton air de bête sauvage. Allez ! ouste ! et attendez-vous à un sermon.

Cette fois les cousins ont peur. Ils se demandent bien quel forfait ils ont pu commettre.

Patiente, Rose les a guettés. Ils sont arrivés avant l'heure du dîner. Après la pluie de la veille ils sont tout crottés.

La vieille fille les prévient que leur grand-mère les attend au salon. Elle a son air des mauvais jours. Ronchonnante elle monte derrière les enfants, veillant à ce qu'ils soient au moins présentables. Elle coiffe la petite de ses mains maladroites. Elle a le cœur serré mais elle ne dit rien : « Si Madame est en colère c'est que cette fois ça doit être grave. »

66

Chris a beau la questionner plus un son ne sort de sa bouche. Une fois les enfants prêts, elle les pousse dans le salon.

Dans la grande pièce feutrée l'ombre du soir commence à envahir l'espace. Une lampe est allumée sur le guéridon près duquel les deux sœurs sont assises.

Agathe Rivoix a pris son air sévère. Vu la tête de Rose les enfants s'y attendaient, mais si tante Marthe elle aussi !...

— Qui a eu l'idée d'aller chercher ce livre dans la bibliothèque ? questionne leur grand-mère en brandissant le livre que Chris a caché sous la pile de draps.

« C'est donc ça ! » se dit Chris soulagé : emprunter un livre n'est pas une grosse bêtise. Pour calmer les appréhensions de sa cousine il se gratte le lobe de l'oreille droite. Ce qui veut dire dans leur langage : « Faut pas s'en faire, tout va bien ! »

— Moi, répond le garçon dont les chaussettes commencent à glisser le long des mollets.

— Pourquoi ce livre ?

— Parce que « Justine » c'est joli...

— Et puis c'est un marquis qui l'a écrit. Un marquis c'est forcément un monsieur bien, coupe la fillette.

A ce moment, contre toute attente, Agathe Rivoix perd un peu de son air grave. Tandis que sa sœur pouffe de rire derrière son ouvrage.

Les enfants ravis regardent leurs aïeules. Décidément les grandes personnes sont des êtres imprévisibles.

— Les enfants, une dernière question : qu'avez-vous retenu de cette lecture ?

— Eh bien... c'est... c'est l'histoire de deux jeunes filles. La sœur de Justine s'appelle Juliette et... le reste c'est pas bien.

— Qu'est-ce qui n'est pas bien ?

Chris se balance d'un pied sur l'autre. Il finit par avouer qu'il n'a rien compris à cette lecture.

— C'était tellement ennuyeux, reprend la fillette, que moi je me suis endormie dès le début.

Les deux sœurs rient de bon cœur. Cette fois ils sont sauvés.

XI

Son chapeau de paille à la main, Quentin fit irruption dans le salon. Il devait être trois heures.

— Madame, c'est la Blanche... Le petit ne vient pas. Il va falloir l'aider.

Déjà Agathe Rivoix était debout. En femme de la campagne, elle savait. Elle ne posait pas de questions inutiles. Elle agissait.

— Bon, j'appelle le vétérinaire, mais à cette heure-ci il sera sûrement parti. Quentin, retournez auprès de Blanchette, et toi ma petite-fille court chercher le vieux Ferrand.

Victoire avait passé suffisamment d'étés chez sa grand-mère pour savoir que si Quentin était venu la déranger, c'est qu'il y avait urgence. Sans attendre elle décrocha le feutre qui pendait à un des portemanteaux dans l'entrée et elle courut dans la grande allée. Les ombres se balançaient au rythme du vent chaud qui s'était levé avec le jour. Tout en courant, elle camoufla de son mieux ses cheveux sous le chapeau sans forme. Quelques mèches échappées volaient autour de son visage.

Après le portail, dès la sortie du premier tournant, elle traversa la route pour s'enfoncer dans un chemin malaisé. Elle se surprit dans son ombre courte : elle ressemblait à un épouvantail. Elle sourit : Chris aussi aimait revêtir ce feutre.

Jamais encore elle ne s'était rendue seule à la ferme du vieux Ferrand. Autrefois cet homme lui faisait peur avec ses airs de sorcier. Elle remit ses pas dans ceux des cousins et retrouva son chemin sans hésiter. Cette facilité qu'elle se découvrait était-elle due au fait qu'elle avait grandi ? Ou parce que, coupée de son double, elle faisait enfin l'effort nécessaire ? Cette impression de liberté qui, hier encore, l'entravait, lui donnait à présent des ailes. Chaque jour qui passait, elle prenait de l'assurance.

Depuis qu'elle avait apprivoisé les enfants, ils ne la lâchaient plus. Elle les observait. Ils étaient encore si jeunes, si beaux à voir. Encore si joyeux de tout. Jamais ils n'auraient dû grandir.

Au bout du chemin Victoire aperçut la ferme. Elle pénétra dans la cour où s'élevait un tas de fumier. Elle fut accueillie par des aboiements furieux. D'un ton péremptoire elle cria à Rex de se taire. Reconnaissant son nom, le chien se coucha, penaud, au bout de sa chaîne.

Par cette chaleur tous les volets de la ferme étaient tirés. Elle frappa à la porte. C'est un garçon aux yeux étonnés qui lui ouvrit. Elle allait questionner l'enfant quand elle entendit des pas traînants venir vers eux. Le vieil homme apparut derrière son petit-fils. Connaissant le personnage, elle ne s'embarrassa pas de préambules.

— Je viens de la Musardière. Blanchette a des problèmes, le petit se présente mal.

Comme le vieil homme ne paraissait pas s'émouvoir, elle ajouta : « Le vétérinaire a été prévenu mais grand-mère préférerait que ce soit vous... »

Alors, avant même que Victoire eût terminé sa phrase, le vieux Ferrand, traînant derrière lui sa jambe abîmée (la guerre, disaient ses proches, la goutte, pensaient les malintentionnés), disparut. Quelques secondes plus tard il revint, la canne à la main. Laconique, il dit enfin :

— Va ! Je te suis, petite.

La main maigre et veinée appuyée sur sa canne, il sortit dans la cour. Victoire suivit. Sur leur passage des poules s'effrayèrent, caqueteuses et désordonnées. Au bout de sa chaîne Rex remuait la queue. C'était un ami de fredaines de Pataud. Des mouches bourdonnaient, affolées par le tas de fumier dont l'odeur, sous le soleil, s'alourdissait. Parfum rude que le vent se chargeait de distribuer largement aux environs.

Au-dessus des ronces, dans le silence du chemin, les oiseaux piaillaient. Ils voletaient au-dessus du couple étrange que formaient le paysan et la jeune fille. Lui, pas plus épais qu'une lame, marchait appuyé sur sa canne. Elle, la tête recouverte d'un feutre tout cabossé, fermait la marche.

Le mauvais chemin passé, la route traversée, il ne restait plus à parcourir qu'une centaine de mètres. Le vieux Ferrand avec sa mauvaise jambe ne pouvait presser le pas. Jamais chemin ne parut si long à Victoire.

Sous un ciel où le vent charriait des nuages, ils arrivèrent enfin en vue du « pré aux vaches ». Au beau milieu, une masure, autrefois cabane à outils, avait été transformée en étable.

Dans ce champ chaotique, à l'herbe drue, séchaient des bouses de vaches. Toujours droit, le vieux Ferrand allait son chemin. Seule la pression de la main sur sa canne trahissait une quelconque souffrance.

Quentin vint à leur rencontre. Sur son invitation le vieux Ferrand pénétra dans l'étable. Sur la paille, Blanche attendait, couchée sur le côté, le poil couvert de sueur.

Victoire se glissa dans un coin reculé. Ce n'était pas la première fois qu'elle assistait à une naissance, déjà avec Chris...

Le paysan s'était approché de la vache. Il la palpait. Et voilà que cet homme, qui n'avait pas desserré les dents de tout le trajet, se mettait à parler.

— Calme, ma fille, calme. Montre-moi ça un peu.

Il avait la voix rauque.

Avec des gestes précis, mesurés, il fouillait la bête. Blanche se laissait faire, épuisée. Plusieurs fois il hocha la tête. Près de lui Quentin attendait, sans oser poser de questions. Par déférence il gardait son chapeau de paille à la main. Maintenant que le vieux Ferrand était là, il n'avait plus vraiment peur : le paysan était connu dans tout le pays pour ses dons de guérisseur. Dans les cas difficiles, il n'était pas rare que le vétérinaire lui-même fasse appel à lui.

Le vieux Ferrand hocha la tête. Tout bas, comme pour lui-même, il dit :

— Bon, ça va aller.

Dans la pénombre le visage de Quentin se détendit.

Le genou valide à même le sol, l'homme frottait le flanc gonflé.

— Ne t'en fais pas, on va le faire venir ton petit.

Alors Blanchette se retourna vers son sauveur. Elle le regarda de son gros œil humide. Et à cet instant Victoire eut la certitude que la bête comprenait.

Cherchant sa canne dans la paille, le vieux Ferrand se redressa. Il était si mince, si raide qu'à tous moments on eût pu croire qu'il allait se casser en deux comme du bois mort. Mais soudain ce fut le branle-bas de combat. Reprenant sa voix rauque, il donnait ses ordres. C'était la première fois qu'il s'adressait à Quentin.

— Il me faut une corde, des bras solides. En attendant aide-moi à la mettre debout.

Dans son coin Victoire regardait. Se retenant de bouger, elle se mordait les lèvres. Tirée, forcée, malmenée par les deux hommes, la vache finit par se laisser faire et se mettre debout.

Toujours calme, le paysan, qui avait déployé une énergie aussi farouche qu'inattendue, roula sa manche jusqu'en haut de son bras. Il enfonça une partie de celui-ci dans les entrailles de la vache : commença un duo entre l'homme et la bête. Tandis qu'elle meuglait, lui parlait en patois.

— Vite, la corde, dit-il.

D'un ton ferme le vieux Ferrand commandait, tandis que, le front en sueur, Quentin se précipitait.

— Brave ! Brave ! disait-il.

Pour la troisième fois Blanchette meugla très fort : apparurent les pattes. Le vieux, s'emparant aussitôt de la corde, l'attacha autour des sabots.

— Tiens, prends ça, tu tireras avec moi quand je te le dirai !

Chacun retenait sa respiration.

— Allez ! cria-t-il.

Unis dans un même effort, les deux hommes tirèrent de toutes leurs forces. On entendit un énorme et dernier beuglement. Un sac visqueux sortit de la vache, tomba mollement sur la paille.

Victoire ne comprit pas tout de suite qu'un petit veau était né. C'est seulement quand elle vit le vieil homme reprendre sa canne et se pencher au-dessus de cette chose molle et informe qu'elle sut.

Après la souffrance, après l'effort, après l'émotion, un grand silence s'était fait dans l'étable. Seul le vieux Ferrand agissait. Il enleva la corde, vérifia le bon état des pattes. Enfin, satisfait, il glissa le nouveau-né jusqu'à la truffe de sa mère. Il attendit que la vache lèche son petit, puis il se courba, prit de la paille et s'en essuya les mains et les bras.

Redevenu muet, le vieil homme sortit. D'un coup de canne il poussa la barrière qui céda en grinçant.

Quentin s'épongea le front. Il reprit son chapeau de jardinier qui avait glissé à terre et il quitta l'étable. Par-dessus la barrière Victoire les regarda. Arrêté au milieu du champ le vieux Ferrand allumait une cigarette. En quelques pas Quentin l'avait rejoint. Elle l'entendit l'inviter à boire un verre chez lui. Pour toute réponse, elle vit le vieux au cou d'oiseau hocher la tête en signe d'assentiment.

Victoire retourna dans l'étable. Elle se tenait à distance, sans oser déranger les tendres liens qui se créaient entre le veau et sa mère. Elle se retourna, écouta le silence. C'était comme si tout à l'heure elle avait été anesthésiée. Un à un les sons qu'elle avait cessé d'entendre lui revenaient.

Des mouches, affolées par l'odeur du sang, bourdonnaient autour de Blanchette. Épuisée, elle les chassait d'un coup de queue. Tout près une branche basse venait frotter contre l'étable. Elle frémissait au moindre courant d'air. Dehors, on n'entendait plus le vent passer en rafales dans la frondaison. Mais, sur le toit recouvert d'un savant désordre d'ardoises, Victoire percevait des bruits mats, espacés. Comme feraient des gouttes de pluie qui tomberaient rares mais lourdes.

Quelques instants encore elle regarda le veau. Aidé de sa mère, il cherchait maintenant à se mettre sur ses pattes. Après quelques vaines tentatives où il retombait à chaque fois, comme saoulé par l'air nouveau qu'il respirait, il y parvint. Et c'est ainsi que, tremblant et maladroit, il s'accrocha au pis gonflé, qu'il têta avec avidité.

Se décidant à sortir de l'étable, Victoire fut surprise par la clarté du jour. L'instant qu'elle venait de vivre était d'une telle intensité qu'elle n'aurait su dire s'il avait duré quelques minutes ou des heures, s'il était minuit ou midi, s'il faisait encore jour ou déjà nuit.

Le vent était retombé. Malgré la pluie qui avait mouillé la campagne, il faisait lourd. Elle enleva son feutre marron d'où coula sa chevelure claire. Dans le ciel les nuages s'étaient dissipés. L'heure devait être tardive : le soleil n'envoyait plus que de pâles rayons qui affleuraient les haies. Une chaude moiteur se dégageait du pré. Tout autour, les verts tendres ou profonds, acides ou doux, dans les jaunes, les bleus, les mordorés, reprenaient sous la lumière du soir leurs infinies nuances, leurs impalpables vibrations.

A cet instant, il ne lui était plus possible de nier Dieu. Partout il était. Et Chris, avec lui. Elle avait effleuré un mystère. C'était un moment unique. Comme cette journée qui finissait. Des larmes, qu'elle ne sentit pas, coulèrent sur ses joues. Dieu existait. Quelque part Chris aussi. Et elle se retrouvait nue. Victoire se sentit fléchir. Quelques secondes elle ferma les yeux. « Grand-mère ! » se rappela-t-elle.

Celle-ci devait attendre des nouvelles. Elle pressa le pas, rejoignit la grande allée. Juste avant le tournant, elle se mit à courir. Derrière elle, s'étalait très longue son ombre qui ne la rattraperait jamais.

Arrivée sur la terrasse, elle apprit aux deux femmes qui attendaient, assises sous le tilleul, la naissance du veau. Aussitôt ce fut la joie. Il n'était plus question de vaquer à ses occupations : il fallait fêter la bonne nouvelle.

La maîtresse de maison dépêcha sa petite-fille aux cuisines. Elle revint suivie d'une Rose dans tous ses états. Tout le long du chemin menant de la cuisine à la terrasse, les bajoues tremblantes, la vieille fille disait :

— Quelle nouvelle, mon Dieu, quelle nouvelle !

Le vin de noix réservé aux grandes occasions fut sorti ainsi que des sablés faits à la maison. Après avoir raccompagné le vieux Ferrand, Quentin s'était joint à la famille pour trinquer à la santé du nouveau venu sur cette terre. Terre qu'en vingt ans il avait faite sienne, et qui s'appelait « la Musardière ».

XII

Depuis la veille, des camions recouverts de bâches passaient devant le portail. Ils montaient leurs chargements au village. Comme chaque année, ce va-et-vient annonçait le 14 Juillet ; fête nationale peu prisée à la Musardière.

Des échafaudages se dressaient sous l'œil morne des vieillards. Ils surveillaient l'achèvement des travaux en fumant leur pipe. Des hommes plus jeunes aidaient à enfoncer des piquets. Tandis que les enfants jouaient au milieu des planches.

Victoire contemplait ce spectacle qui, il y a trois ans encore, mettait les cousins en joie. De nouveau, elle avait attendu ces picotements dans les veines, et l'aiguillon de la curiosité. Au lieu de quoi, elle restait là, déçue de ne rien ressentir. En rentrant dans l'univers des adultes, société obscure où tout était permis, croyait-elle petite fille, aurait-elle perdu, en même temps que son âme d'enfant, ses plaisirs ?

Depuis qu'elle avait libre accès au monde des adultes, hésitante, elle restait sur le palier. De temps à autre elle poussait la porte. Aussitôt elle regrettait l'air lumineux mais ouaté de son enfance.

Autrefois elle disait souvent : « Quand je serai grande, je ferai ceci, je ferai cela. » Les cousins jouaient toujours à quand ils seraient grands...

Poussée par son destin, en quelques mois elle avait mûri. La mue s'était faite si rapidement qu'elle se retrouvait à cloche-pied entre deux mondes, comme certains s'asseyent entre deux chaises.

Était-ce cela l'adolescence ?

Elle ne se sentait pas non plus semblable aux jeunes de son âge. Elle avait encore brûlé cette étape. A moins que son enfance, son adolescence et sa rentrée dans le monde des adultes ne se fussent confondues, superposées, enchevêtrées dans un amalgame inextricable.

Victoire resta encore un moment à regarder ce qui se passait autour d'elle. Cette fête du 14 Juillet se transformait, un peu plus chaque année, en une immense kermesse. Le maire de Charmille profitait de ce jour pour remplir les caisses de la mairie. Bien que d'extraction paysanne, il cultivait davantage sa réputation que ses terres. S'il était dédaigné par les habitants de la Musardière, c'était plus encore à cause de ses impiétés que pour ses idées politiques. En place depuis six ans il était mal jugé par la bourgeoisie alentour.

Charmille était autrefois un village tranquille. Sous l'égide du nouveau maire, il dut se mettre au goût du jour, avec ce que cela pouvait avoir d'outrancier. Sur cette place ancienne, où les maisons se serraient les unes contre les autres comme des vieilles filles frileuses, avaient fleuri des bars décorés de couleurs voyantes. Dans ce vis-à-vis, deux mondes étaient représentés qui divisaient le village : d'un côté se tenaient les conservateurs, de l'autre les partisans du changement. C'était l'anarchie dans Charmille, mais l'anarchie bon enfant, où, dans ce milieu paysan, seule la terre fait loi.

Maintenant sur la place des ouvriers hissaient la tente. Elle servirait à couvrir le parquet du bal. Le bal ? Une fois elle y avait dansé avec Chris. C'était un moment inoubliable. Il l'avait prise dans ses bras. Tout contre lui, elle avait écouté son cœur battre. Comme elle l'aimait déjà !

Victoire observa un moment tous ces hommes qui s'affairaient en hurlant des ordres et des contre-ordres. Puis, fuyant ce charivari, elle se fraya un chemin parmi les badauds.

Elle se rendit à la boulangerie pour acheter les quatre baguettes commandées par Rose. Dans la boutique des femmes parlaient entre elles de la fête à venir. Derrière son comptoir la femme du boulanger souriait à ses clientes. Elle se tenait là maigre et le teint jaune. Sous ses yeux se creusaient, un peu plus chaque année, des cernes qui viraient au bistre. Elle était devenue laide, sans âge, alors qu'on la disait si belle jeune fille.

Son mari était coureur de jupons. Tout le monde le savait, elle aussi. Pourtant elle gardait toujours la même douceur, le même sourire pour servir. Comment faisait-elle pour ne pas se révolter ? s'étonnait Victoire. Devant ce visage ravagé, elle se demandait si c'était bien de l'admiration qu'elle portait à cette femme notoirement bafouée, ou plutôt de la haine pour cette patience qu'elle affichait...

Sortie de la boulangerie Victoire attacha ses baguettes sur son porte-bagages ; jamais elle n'aurait accepté ! Jamais. Elle enfourcha sa bicyclette et partit. Après la butte, elle se laissa glisser en roue libre jusqu'à la Musardière. Il faisait un temps radieux. Derrière le portail Pataud aboya tout en remuant la queue. Attaché à sa niche, il se levait sur ses pattes arrière. Il agitait celles de devant comme pour attirer la jeune fille à lui.

Au-dessus de la niche, comme des gouttes gelées, un jet de roses se courbait à la rencontre du toit. Victoire descendit de bicyclette, mit sa joue fraîche contre le poil fauve. Ravi, le chien donnait des petits coups de museau. Elle jouait avec lui, un peu comme elle jouerait avec un enfant. Après une dernière tape sur le flanc, elle fit mine de partir. Les oreilles et la queue basse Pataud la suppliait du regard. Elle hésita : Quentin ne serait pas content. Tant pis, elle verrait bien ! Elle détacha le chien qui lui fit fête.

Suivie de son compagnon elle roulait sur les ombres mouvantes de la grande allée. Un peu avant l'angle de la maison, là où la lumière crue revient, elle rencontra Quentin. Coiffé de son chapeau de paille et ceint de son tablier de jardinier, il se penchait fiévreusement au-dessus d'un rosier. En s'approchant elle perçut des chuchotements mais ne s'en étonna pas. Elle l'avait toujours entendu parler à ses fleurs, plus qu'il ne parlait jamais à aucun être humain.

Tout content Pataud allait droit sur son maître.

— Ça alors, que fais-tu là, toi ? dit-il sévère.

Gêné de l'accueil, le chien avait couché les oreilles. Il osait cependant manifester encore un peu de joie, en remuant le bout de la queue.

— Bonjour Quentin !

— Ah ! c'est vous, mademoiselle ?

— Je reviens du village... Il avait l'air tellement triste !

— Bah ! il peut bien se promener maintenant qu'il a été lâché. C'est que depuis ce matin, avec le va-et-vient, j'ai toujours peur qu'il parte sur la route.

Victoire sourit. Une fois de plus elle avait amadoué le vieux célibataire. Toute petite déjà elle avait compris que Quentin avait un faible pour elle. Elle chercha à lui être agréable. Elle lui parla de la pluie, du beau temps, du jardin. Elle parla aussi du veau. Alors, sous les sourcils broussailleux, elle vit le regard s'illuminer.

Enfin, le sentant pressé de retourner à ses occupations, elle remonta sur sa bicyclette.

— Rien de neuf depuis ce matin ?

Soulevant son chapeau de paille Quentin se gratta la tête :

— Rien, mademoiselle. C'est le 14 Juillet, vous savez !

Le 14 Juillet, à la Musardière, était comme un dimanche sans messe. Un jour de païen. S'il n'était pas question pour madame Rivoix de participer à cette fête qui n'en était pas une, il n'était pas question non plus de montrer des mines d'enterrement, comme quelques nobliaux de la région croyaient bien de le faire. Simplement elle restait sur son quant-à-soi et entendait que la famille en fît autant. Il n'y avait que le matin, au discours de monsieur le Maire, suivi du petit vin blanc offert par la mairie, qu'elle se devait d'être présente. Le reste de la journée elle le passait calfeutrée entre ses quatre murs.

A dix heures vingt-cinq, Agathe, suivie de Marthe, monta dans la voiture. Victoire avait longuement hésité à se rendre à cette fête. Tout le village ou presque serait rassemblé dans la cour de la mairie. Elle avait peur de cette foule. Elle ne se sentait pas encore de taille à affronter la curiosité qui ne manquerait pas de peser sur elle : « Cette pauvre petite !... Et comment c'est arrivé déjà ?... Si c'est pas un malheur !... »

Aussi, depuis quelques jours, toutes les deux minutes avait-elle changé d'avis. Ce n'est que quelques secondes avant le départ qu'elle se précipita dans sa chambre pour revêtir une robe convenable. A la dernière seconde, elle s'engouffra dans la voiture qui démarrait.

Dans la cour de la mairie, à l'ombre des marronniers, monsieur le Maire commençait son discours. Madame Rivoix, suivie de sa sœur et de sa petite-fille, dédaignant la tribune, s'assit sur le premier banc trouvé libre.

M. le maire ceint de son écharpe tricolore parla longuement de Charmille, des travaux en cours ainsi que des projets. Une partie de l'assistance applaudit, l'autre partie grinça des dents. Il termina adroitement en flattant ses adversaires. La fanfare solennelle et guindée joua une *Marseillaise* ponctuée de couacs. Puis c'est sous les ovations qu'il alla boire un verre de petit blanc.

C'était le signe que chacun attendait : les rangs se desserrèrent, se défirent pour se presser vers le buffet dressé au fond de la cour. Le vin resté trop longtemps sur le buffet était tiède. Mais c'était le vin du pays, un vin de fête.

Agathe et Marthe avaient disparu, portées par le tourbillon. Bien décidée à rester à l'écart, Victoire s'assit sur le muret où paressaient les lézards. Elle regardait passer les villageois endimanchés.

Elle connaissait tout le monde ou presque. Il y avait longtemps qu'elle ne s'était pas rendue à cette fête. Les deux dernières années, ce jour-là, les jumeaux avaient été consignés à la Musardière. Après que Chris eut été retrouvé ivre mort sous le buffet.

Victoire isolée des autres se souvenait. Elle était ailleurs. Dans cet ailleurs qui était devenu son univers. Mais quelqu'un là-bas lui faisait signe. A regret elle sortit de ses songes : « Ce pas nonchalant, cette silhouette... encore lui ! » se dit-elle, agacée.

François Vallier venait à elle. Il souriait de ce sourire ironique qu'elle avait détesté dès la première fois.

Victoire décida d'attaquer la première.

— Bonjour, dit-elle, vous avez été invité ?

— Non, mais je croyais que tout le monde pouvait...

A cet instant une grande fille brune, qu'elle n'avait pas vue venir, s'accrocha au bras du garçon, comme s'il était sa chose, son bien.

— Victoire : Madeleine, présenta-t-il.

— Bonjour mademoiselle, dit la grande brune, l'air condescendant.

Elle entraînait le garçon par le bras.

— Viens, nous avons nos amis qui nous attendent. Elle murmura quelques mots à l'oreille du garçon et se mit à rire, puis le couple disparut dans la foule.

Victoire haussa les épaules. Cela lui était bien égal de savoir avec qui il était. Bien égal !

Cependant quand, une heure plus tard, elle partit, elle y pensait encore.

La voiture fit demi-tour devant l'église désertée en ce jour de fête barbare. A petite allure elle repassa devant la mairie. Les rumeurs de la foule amassée dans la cour montaient dans le ciel d'été. Par une fenêtre ouverte s'engouffrait un air tiède où s'exhalait un parfum d'herbe chaude.

La voiture passa la grille et stoppa. Quentin descendit et il alla fermer le portail qui, quoi qu'il arrivât, resterait clos jusqu'au lendemain matin.

XIII

Plus un souffle, plus un bruit.

Tout au bout du pré, deux enfants murmurent dans la tiédeur du crépuscule.

Quelques hirondelles silencieuses jouent dans le ciel. Elles vont, viennent, s'arrêtent, virevoltent, piquent, remontent en volutes et s'éloignent à tire-d'aile.

Une cloche sonne au loin. Le son, comme un moineau blessé, s'élance, volette au-dessus des deux têtes et s'en va mourir de l'autre côté de la haie.

Tout est calme, tout est silence en cette fin de journée. Les ombres s'étirent sur l'herbe jaunie de ce milieu d'été. Dans l'air encore chaud, chargé de soleil, se mêle un parfum voluptueux, mélange d'herbes séchées et de suc des fleurs.

Deux enfants dans le soir regardent le soleil. Telle une boule de feu il embrase la campagne avant de s'évanouir derrière leur paysage. Déjà au-dessus d'eux se devine un croissant de lune. Attentifs, ils regardent mourir cette journée. Elle s'efface pour s'éteindre comme une bougie consumée. Aucune mélancolie ne les absorbe. Ils ne sont qu'espoir : demain sera le 14 Juillet. Et ils ont tant de projets dans la tête, tant d'espièglerie, tant de fête, tant d'amour.

Côte à côte les enfants regardent mûrir leur été. Si les jours de vacances sont encore nombreux devant eux, d'instinct, ils savent qu'il ne faut pas les gaspiller. Quand les jours deviendront plus courts et les nuits plus longues, ce sera le signe que les heures se sont usées. Il leur faudra alors goûter les moments qui restent comme un nectar.

Tout est calme, tout est silence dans cette journée qui s'achève. Le nez planté au ciel obscurci, deux enfants regardent une étoile qui scintille solitaire, puis une autre qui crève le ciel et encore une autre.

Mais de la maison parvient le son lointain de la cloche :

— Chris, la cloche ! C'est sûrement Rose qui nous appelle. Vite !

Déjà la fillette est debout. Elle lisse sa robe couleur du ciel sous le vent. Elle remet dans sa barrette les quelques mèches qui se sont échappées et qui volettent autour de son visage encore barbouillé d'enfance. Devant l'affolement de sa cadette, le garçon veut répondre en homme qui ne se départit jamais de son calme. D'un geste théâtral il tire la montre qui appartenait à son arrière-grand-père et que sa grand-mère lui a offerte pour ses treize ans.

La cloche sonne une fois encore :

— Vite ! supplie-t-elle.

Il regarde sa montre :

— Oh ! là ! là ! tu as raison ma vieille, ça risque de chauffer !

Dans la moiteur de ce soir d'été, deux enfants s'en vont en courant à travers champs.

A cette heure, rencontre du jour et de la nuit, toute forme a perdu consistance. Tout n'est que flottement, tout n'est plus que flou en attendant que s'installent les ombres de la nuit.

En arrivant devant la maison, ils s'arrêtent pour reprendre leur souffle. Ils regardent devant eux la maison qui se dresse éteinte, sans vie. Aucune fenêtre n'est éclairée.

Étonnés, ils considèrent cette grande bâtisse qui, ce soir, leur paraît si inhospitalière. Ils savent que leur grand-mère ainsi que leur grand-tante Marthe ont dû s'absenter jusqu'au lendemain pour aller enterrer une vieille cousine. Mais ce n'est qu'à cet instant qu'ils comprennent qu'ils sont seuls.

Dans la nuit leur univers qu'ils croyaient solide, inattaquable, branle, se fissure. Jamais cette demeure ne leur est apparue si étrangère que ce soir, jamais ils ne s'étaient aperçus

82

qu'une maison n'est rien qu'un gros tas de pierres inertes, sans l'âme qui saura la faire vibrer.

Le jour s'en est complètement allé. Ils ont froid. Pas très fiers ils se dirigent vers la cuisine. Ils se souviennent enfin de la recommandation de leur grand-mère : « Surtout, les enfants, respectez les horaires afin que Rose ne se fasse pas trop de souci en mon absence. » Une fois de plus ils avaient écouté mais pas entendu. Maintenant ils se pressent. Ils ont hâte d'arriver : Rose, cette bonne Rose toujours présente, les attend. Là-bas il y aura de la lumière. Là-bas il fera bon s'asseoir à la grande table. Là-bas le cœur de la maison continue à battre.

Un reflet éclaire timidement le chemin qui longe la vigne vierge et mène à la cuisine. Devant le poulailler, le garçon s'arrête pour remonter ses chaussettes. D'un coup de tête il chasse sur le côté la mèche qui lui tombe sur l'œil. La cour pavée est tachée de lumière. Elle gicle des fenêtres basses. Devant la porte se dresse Rose. Les mains sur les hanches, elle attend les enfants. Ils lui ont fait faire du mauvais sang :

— Ah ! vous voilà, les drôles !

Hochant sa tête de chat, elle les regarde intensément derrière ses lunettes cerclées. On dirait que sa face va éclater, tant elle est rouge. Elle lève les mains au ciel et sans un mot leur tourne le dos.

Confus, les enfants ne savent que dire :

— Pardon Rose... On n'a pas fait exprès.

— Tu sais, c'est à cause de la nuit qui tombe tard, commence à expliquer Vic.

Mais un grand coup de coude, donné par Chris, la fait taire aussitôt.

De toute façon Rose est retournée à ses fourneaux. Elle ne cherche pas à savoir : ils sont là. Elle a eu tellement peur quand elle a vu la nuit descendre.

Embarrassés, les enfants rentrent dans la cuisine. Ce silence les dérange plus que des reproches ou des cris. Debout, ils regardent la cuisinière qui s'affaire. Malgré ses manières un peu rudes, ils connaissent son bon cœur. Ils voudraient bien se précipiter dans ses bras, lui demander pardon. Mais ils n'osent.

Ils regardent ce dos, qui résolument les ignore. Mais, s'ils savaient voir, ils comprendraient que si cette vieille femme les boude ce soir, c'est que justement elle fait partie de leur univers. Elle fait partie de l'âme de cette maison, de ce bonheur impalpable de l'enfance, de cet ensemble rare et subtil, qui fait que tout se teinte de merveilleux.

S'ils savaient voir, ils verraient que la poitrine lourde, qui les a tant de fois accueillis pour calmer un chagrin, se lève d'une façon saccadée comme si l'air allait lui manquer. C'est que le cœur s'est un peu affolé quand la nuit est venue. Les « drôles » n'étaient pas encore rentrés : ces petits qu'elle a vus naître. Ces petits qui sont un peu les siens et dont on lui a confié la garde.

Ne sachant que faire les cousins se sont assis. Sur la table de ferme est dressé leur couvert. Rose s'active sur ses poêles. Elle ne les regarde toujours pas. Alors Chris se lève, tire sa montre pour se donner contenance. Il va vers le panier du chat où la Moune se prélasse. Le garçon passe sa main dans le pelage doux et blanc de la bête qui se met à ronronner. Il lui embrasse le museau rose, et dit suffisamment fort pour que sa maîtresse entende :

— Alors Moune, tu as un peu chassé aujourd'hui ? Moi et Vic on a fait une cabane tu sais, elle est chouette. Dis-moi la Moune, si tu venais demain la voir, tu es invitée.

De temps à autre, il jette un coup d'œil vers la cuisinière dont il aperçoit le profil. Comme elle ne sourcille pas, il se rassied en faisant grincer un peu le banc, histoire de montrer qu'il est là.

Sans un mot, Rose les sert. Elle leur avait préparé un menu de fête. Chaque mets est accueilli avec un « Oh ! merci Rose ! »

Le garçon a bon appétit, il fait honneur au repas, tandis que la fillette sent sa gorge se nouer. Au fur et à mesure du dîner, elle avale avec plus de difficulté. Au dessert les crêpes ne passent plus du tout. Elle est au supplice. A chaque bouchée elle se retient de pleurer : Chris ne lui pardonnerait pas. De temps en temps elle envoie entre ses cils un coup d'œil furtif en direction de son cousin. La mèche sur la paupière baissée, il mange sa troisième crêpe en silence.

Le dîner fini, Rose sort enfin de son mutisme pour envoyer les enfants au lit :

— Ouste ! au lit maintenant, et que je ne vous prenne pas à faire la foire là-haut !

Dociles, ils suivent la servante qui fait le dos rond comme un chat qui se méfie. Ils passent par l'office. Au pied de l'escalier, dans le vestibule sans vie, Rose prend congé ;

— Allez ! montez maintenant et soyez sages ! J'attends.

Et comme elle ne s'est pas penchée pour les embrasser, ils montent l'escalier en baissant la tête. Ils se séparent pour aller chacun dans leur chambre. Rose attend : deux portes claquent. Tout est bien. Elle s'en retourne de son pas lourd. Elle vérifie que la porte du vestibule est bien fermée, geste qu'elle a vu faire tant et tant de fois par la grand-mère des petits, sa patronne depuis trente ans. Elle lui est toute dévouée.

Assise dans la position du sphinx, la Moune est venue à la rencontre de sa maîtresse. A l'approche de Rose, la chatte se frotte contre les murs. La vieille fille se penche, caresse d'un geste familier la tête du félin. Avec toute la tendresse dont elle est capable, elle soulève l'animal. Elle passe sa main rugueuse sous le poil velouté et fourni, où se terrent quelques petits tétons roses. Dans un duo d'amour, joues contre joues, cheveux gris contre poils blancs, elles s'en vont dans leur cuisine.

Une heure plus tard, Rose, armée d'un bougeoir, fera une dernière ronde dans la maison. Elle s'assurera que les enfants sont bien endormis. En passant dans le vestibule elle vérifiera, encore une fois, que la porte d'entrée est verrouillée, que les volets du salon et de la salle à manger sont bien tirés : « Il ne s'agirait pas qu'il arrive quelque chose en l'absence de Madame ! » Elle l'a bien dit et redit à ses patronnes quand elles s'en sont allées : « Vous pouvez compter sur moi ». Alors, il n'est pas question de se laisser aller.

Le chignon défait, un châle jeté sur les épaules, Rose monte le grand escalier. La lumière des bougies fait trembler les ombres autour d'elle. A pas de loup elle se dirige vers la chambre du « petit Monsieur », qui est juste à côté de celle de

Madame. La porte de sa chambre est restée entrouverte. Il dort déjà comme un homme, le souffle bruyant, tout en travers de son lit ; dans un beau désordre.

Avec mille précautions, pour ne pas réveiller le « petiot », elle récupère les couvertures et le drap glissés par terre. Maternelle, elle borde l'enfant comme elle l'aurait fait pour le fils qu'elle n'a jamais eu. Dérangé dans son sommeil, Chris s'est ramassé en boule sur le côté. Sans bruit, elle récupère le bougeoir laissé sur le pas de la porte. Se faisant la plus légère possible pour ne pas faire craquer les lattes du parquet, elle prend le couloir, dépasse le seuil de l'escalier et s'arrête devant la première porte. Là, elle se penche, écoute : rien. Pas un bruit. Elle tourne la poignée qui grince un peu. Comme tout à l'heure, elle dépose son bougeoir pour ne pas gêner le sommeil de l'enfant. Elle entre.

Sous la couverture, entre les draps bien tirés, elle n'aperçoit qu'une forme inerte, toute recroquevillée sur elle-même. Seules quelques mèches blondes inondent l'oreiller. Rose se penche, les draps recouvrent à moitié le visage de la petite. Dans un geste affectueux, doucement, très doucement, elle remet les mèches en place. Elle laisse quelques instants sa grosse main de paysanne peser sur la tête de l'enfant. La petite qui a le sommeil léger a entendu Rose, à moins qu'elle ne l'ait attendue ? Et dans son demi-sommeil, elle a senti dans ce geste toute l'affection que la vieille fille lui porte. Alors, enfouie sous ses draps, elle laissa glisser deux larmes et sourit : demain ce sera un petit déjeuner joyeux dans la cuisine baignée de soleil, avec Chris, Rose et la Moune. Demain sera encore un jour de vacances avec mille libertés, mille bonheurs, mille taquineries à la clef. Demain sera le 14 Juillet.

Comme chaque 14 Juillet, dès le début de l'après-midi, des files de voitures montent au village. Sont entassées dedans toutes les générations. Les yeux grands ouverts d'envie, les cousins regardent à travers la grille. C'est vers six heures de l'après-midi qu'il y a le plus de trafic. Les files de voitures se croisent : il y a celles qui redescendent du village et celles qui montent avec, dedans, les jeunes gens apprêtés pour le bal qui commence.

Rose a permis aux enfants de faire de la bicyclette. A la seule condition qu'ils ne sortent pas des limites de la propriété. Ils ont promis. Bravant la chaleur, ils sont partis, lui sur sa bicyclette bleue, elle sur sa bicyclette rouge. Mais le cœur n'y est pas. Ils remontent par le verger qui jouxte le potager. Là, dans ce lieu interdit entre tous, pour se venger de leur promesse, ils volent des fruits que les oiseaux ou les fourmis sont venus chaparder avant eux.

Sous la feuillée, ils retrouvent le passage secret et étroit qui mène directement au pré aux vaches. Assis en tailleur, entre les troncs élancés des peupliers, ils regardent les voitures qui se croisent. Il y a encore des confettis qui volent sur la route.

Le soleil tombe de moins en moins abrupt. Les ombres se sont écartées d'eux. A cinq heures et quart le portail grince : Quentin part chercher leur grand-mère et leur grand-tante à la gare. A la propriété il ne reste plus que Rose. Bientôt ce sera l'heure pour elle de préparer le dîner. A ce moment-là, aucune force au monde ne pourrait éloigner Rose de sa cuisine. D'un coup de tête, Chris chasse sa mèche sur le côté. De ses yeux gris, il regarde sa cousine avec cet air qu'elle connaît bien. Elle se méfie. Il a une idée : ils vont aller à Charmille, mais juste pour voir, et tout de suite après ils redescendront :

— Je t'assure, personne n'en saura rien !

Mais Vic fait non de la tête, elle ne veut pas : ils ont promis. Déjà hier soir ils ont fait de la peine à Rose.

Agacé, le garçon insiste et insiste encore. Sa cousine prend l'air buté. Elle lisse l'herbe du bout de sa sandale sans daigner le regarder. Il la menace de partir seul. Elle l'en sait capable. Devant le chantage, elle cède :

— Alors, juste quelques minutes, dit-elle.

XIV

Encore tout ensommeillée Victoire descendait de sa chambre. A pas nonchalants elle se rendait à la salle à manger.

Elle poussa la porte : personne. Aucun désordre dans le couvert n'était venu marquer le passage d'un convive. Sans chercher à comprendre, la tête encore perdue dans ses rêves, elle avait soulevé le pot à lait : vide.

En s'étirant elle prit le couloir sombre et étroit. Dans la cuisine, par les trois fenêtres, entraient les premiers rayons du soleil. Sa grand-mère et Rose étaient penchées côte à côte sur la table de ferme. D'elles, elle n'apercevait que les cheveux gris et les dos ronds. Sur la table était déplié un journal. Sans doute celui du matin que Rose allait acheter après la messe.

Gênée d'avoir surpris les deux femmes dans cette attitude inhabituelle, elle recula d'un pas pour aller frapper à la porte.

— C'est toi, ma petite-fille ? Entre.

Rose avait le teint rouge. Ses yeux lui sortaient de la tête. Plus maîtresse d'elle-même, madame Rivoix expliqua :

— C'est notre bon curé. Il a eu un accident... Il est mort.

— Monsieur le Curé ?

— C'est cette pauvre Marguerite qui l'a découvert étendu dans la sacristie. Un malaise probablement. Mais avec leur presse à sensation certains journalistes n'ont pas peur d'insinuer que quelqu'un aurait très bien pu le pousser...

— Notre curé avoir des ennemis, coupa Rose véhémente,

c'est des menteries ! Même ceux qui vont pas à la messe l'aiment bien notre curé !

— Rose, tu as sûrement raison. Dès demain le mystère sera éclairci. En attendant, cette enfant a faim ; il serait grand temps de servir le petit déjeuner.

Ce rappel à l'ordre obligea Rose à refouler son chagrin. Jusqu'au soir elle se tut. Le chignon tremblant, le pas un peu traînant, elle veilla jalousement sur son chagrin : « Puisque Madame veut qu'on se taise... »

Le lendemain la polémique reprit. Cette fois Rose revint du village le journal et le chignon en bataille. Elle s'était attrapée avec un commerçant qui s'était permis de commenter l'événement, en laissant entendre de « vilaines choses » sur le compte du curé. Rose avait pris aussitôt la défense de l'absent. « C'te pauvre homme qui n'avait même pas encore eu le temps de refroidir que déjà on lui portait des insultes. Si c'était pas une honte ! »

Le ton avait monté. La joute verbale avait fini dans un pugilat général. Le soir même, tout le village était divisé en deux : ceux qui défendaient leur curé (la grande majorité), et les autres moins nombreux mais virulents : « Tous des communistes que je vous dis Madame ! »

Les heures passant, les langues s'étaient déchaînées. Toujours par Rose, qui avait ses sources, la maisonnée était mise au courant des bruits que les mal-pensants faisaient courir sur le compte du curé. Chaque fois elle disait : « C'est le diable, Madame, c'est le diable qui œuvre dans notre village ! »

Le deuxième jour Rose était arrivée tout excitée, tremblante d'indignation. Pour la première fois de sa vie, le cabas entre les jambes, elle s'était assise dans la salle à manger. Anéantie, terrassée, elle avait appris à la famille tout ce qu'on disait sur le compte de monsieur le Curé, même ce qui était le plus infamant.

— On dit qu'avant d'être curé il a été un jeune homme qui fréquentait. On dit que de ses fredaines il aurait eu un fils. On dit même que la vieille Marguerite lui aurait bien souvent servi à des fins moins avouables que celle de servante !

Exténuée, les narines fumantes comme un taureau dans

l'arène qui ne donnerait que des coups de corne dans le vide, Rose s'était tue. Derrière ses lunettes, des larmes contenues faisaient briller ses yeux délavés. Comme une enfant perdue, elle venait implorer aide et réconfort de ceux qui étaient sa seule famille depuis toujours.

Mais comment faire comprendre à cette âme simple que cette cabale, montée de toute pièce, visait l'Église ?

Alors, avec beaucoup de tact et de douceur, les deux sœurs entreprirent d'expliquer à Rose qu'il valait mieux laisser courir ces bruits calomnieux, qui finiraient bien par mourir d'eux-mêmes, plutôt que d'envenimer ces propos malsains par des discussions stériles. Et c'est non sans mal que la vieille fille, après quelques ruades, finit par se laisser convaincre.

Le matin suivant, prudente, madame Rivoix avait empêché Rose de se rendre au village. C'est Quentin qui avait rapporté le journal. Un entrefilet expliquait qu'après expertise médicale, il était tenu comme certain que monsieur le Curé était décédé de sa belle mort. Pris d'une crise cardiaque, il se serait fendu le crâne en tombant sur les marches. Le journal annonçait que le vieux curé devait être inhumé dans son petit village breton, où l'attendaient une sœur plus âgée et un frère, lui aussi prêtre.

Une messe serait dite au village pour le repos de son âme, ce jour même à dix-sept heures trente.

A cinq heures précises, Agathe, élégante mais sobrement vêtue, sortait sur la terrasse. D'aspect parfois sévère elle était généreuse de nature. Elle donnait sans compter, de son argent comme de son temps. Seule l'injustice la faisait se cabrer. Trop, c'était trop. Et si devant Rose elle avait su se contenir, intérieurement elle bouillait. Par décence elle s'était retenue de polémiquer. Combien de fois le saint homme l'avait-il exhortée à la patience ? En souvenir de lui, il fallait donc qu'elle se contienne et ne se consacre plus qu'à son chagrin d'avoir perdu un ami si dévoué.

Durant toutes ces années, il lui avait tant donné. Quand l'hiver il venait dîner à la Musardière, c'était pour elle une joie. Toujours présente, sa foi n'était jamais pesante. Homme d'esprit il savait même se montrer gai. Bien qu'il fût alors curé de Charmille depuis quelques années déjà, elle ne l'avait vraiment connu qu'à la mort de son époux. Dans sa solitude il lui avait été d'un grand réconfort. Douze ans d'amitié déjà !

Après le décès de son petit-fils sa présence l'avait empêchée de sombrer. Plus tard il était resté patient devant sa rébellion.

Agathe ferma les yeux. La disparition du saint homme était pour elle une nouvelle épreuve. Mais celle-là elle l'acceptait : il était âgé, sa vie avait été bien remplie. Elle, elle se débrouillerait. Mais pouvait-on consentir à la disparition d'un être jeune alors que soi-même on ne sert plus à rien ?

Pourquoi un enfant plutôt qu'elle ? Sa petite-fille souffrait tant ! Elle aurait voulu prendre cette souffrance à son compte. Vieille et usée cela n'aurait été qu'un fardeau de plus. De nouveau la révolte grondait en elle. Elle crut voir le curé de Charmille lui sourire. Troublée elle se ressaisit. Elle décida de faire taire ses ressentiments ; du moins pour aujourd'hui.

Se sachant observée par l'œil infaillible de sa grand-mère, Victoire se força à descendre les trois marches du perron d'un pas mesuré. Elle savait combien sa grand-mère avait du chagrin. L'hiver il ne se passait pas une semaine sans que le vieux curé ne vînt s'asseoir à sa table. Ils étaient amis depuis si longtemps.

Bien qu'elle eût fait particulièrement attention à sa toilette elle attendait une observation qui ne tarda pas à venir.

— Ma petite-fille, tu n'as donc rien de moins voyant à te mettre ?

Victoire avait préparé sa défense.

— J'ai pensé que le blanc était aussi une couleur de deuil, et je vous assure, grand-mère, que dans ma garde-robe je n'ai rien trouvé de plus...

— Je ne suis pas en retard, au moins ? ! lança, du plus loin qu'elle le put, Marthe, superbement vêtue de mauve.

Pimpante sous son chapeau à voilette piqué de violettes, elle paraissait sortir tout droit d'une pièce de boulevard.

Agathe ne souffla mot. Elle connaissait sa sœur. Il y avait bien des années qu'elle avait renoncé à la changer.

— Ma chérie, dit Marthe en s'adressant à sa nièce, comme tu es jolie dans tout ce blanc. Tu devrais te tirer les cheveux plus souvent, ça te va bien !

Malgré ses efforts, Marthe avait du mal à cacher qu'elle n'avait pas de vrai chagrin. Elle n'avait rencontré le curé que très rarement. Trop occupé l'été, il ne venait jamais à la Musardière en cette saison. Elle-même oubliait volontiers d'aller à la messe...

Au clocher sonna la demie de cinq heures. Agathe commençait à s'impatienter pour de bon. Tout essouflée Rose parut enfin, vêtue de noir de la tête aux pieds.

— Madame... j'ai fermé toutes les portes de la maison... j'ai prévenu Quentin de notre départ...

En coupant par les prés, de la maison au village il n'y avait guère que dix minutes de marche. Il faisait encore très chaud. Des arbres aux ramifications généreuses ombrageaient le sentier.

En première ligne se pressaient madame Rivoix et Rose. Un peu en arrière, en file indienne, Marthe et Victoire suivaient.

Sur le parvis de l'église était massée toute une assistance murmurante. Très digne, la maîtresse de la Musardière fendit la foule. Toujours suivie de près par Rose qui, sous sa mantille, avait troqué sa tête de chat contre sa tête de dogue des mauvais jours.

Les quatre femmes en rang d'oignons allèrent droit vers le chœur. D'autorité elles s'assirent sur les chaises réservées à la famille. L'église ne tarda plus à être pleine. L'harmonium un peu poussif se mit à geindre sous les doigts experts de Marguerite. Elle y mettait tout son cœur. Cela faisait des années qu'elle servait fidèlement son curé. C'était la dernière fois qu'elle jouait pour lui. Les sons s'élevaient en une ultime prière. Dès le lendemain soir Marguerite se retirerait chez une cousine. Après les calomnies elle avait choisi la retraite.

Maintenant Victoire regrettait d'être partie de l'église sans avoir interrogé le vieux prêtre. Une telle foi le portait que, peut-être ?... Et voilà que lui aussi avait passé la barrière. Il était parti du côté de ceux qui jamais ne reviennent vous dire ce qu'il en est. Comme s'ils jugeaient les humains trop encombrés pour s'élever jusqu'à eux. Comme si la terre et le ciel étaient deux mondes séparés.

Et si, malgré toute sa foi, le prêtre lui-même s'était trompé ? Elle eut envie de s'adresser au vieil homme. Comme aucun mot assez fort ne venait à elle, son regard se posa sur la marche qui montait à l'autel.

Les enfants sont là, agenouillés ; Vic dans sa robe de mariée, lui, magnifique à ses côtés. Ils se tiennent la main. Chris a sorti les deux anneaux achetés la veille dans un bazar. Solennel, il les bénit. Puis il glisse le plus petit au doigt de sa fiancée.

— Veux-tu être ma femme ?

— Oui, répond-elle d'une voix étranglée.

Dans leur émotion, ils n'ont pas entendu la porte s'ouvrir.

La fillette vient à son tour de glisser l'anneau au doigt de son fiancé.

— Veux-tu être mon mari ?

— Oui.

Une chaise remue. Remplis de terreur les enfants tournent la tête : monsieur le Curé !

— Que faites-vous là, les enfants ? gronde le vieux monsieur en soutane.

— Justement, monsieur le Curé, nous sommes venus nous marier et... et... Chris essaie d'avaler sa salive qui ne veut pas passer.

— On savait que le lundi après-midi l'église était fermée... C'est par la petite porte de côté qu'on est entrés... On pensait pas que vous viendriez, m'sieur le Curé.

— On voulait rien faire de mal, on voulait juste se marier. Ne le dites pas à grand-mère. C'est un secret, supplie Vic enroulée dans la nappe brodée.

Le vieil homme, plus amusé que fâché, fait la leçon aux enfants. Puis il les laisse partir en leur promettant de ne rien dire à la maîtresse de la Musardière.

Chaque jour d'été qui suit les jumeaux en discutent entre eux.

— Tu crois qu'il le dira ? s'enquit-elle.

— Tu parles, un curé ça dit tout !

Il hausse les épaules. Puis, mélangeant ce qu'il a appris au catéchisme, il ajoute :

— La confession ça sert bien à ça, non ?

Mais jamais monsieur le Curé n'a parlé. Pas plus le soir d'août où il est venu dîner à la Musardière, qu'à l'église où madame Rivoix va de temps à autre le voir.

A la fin de l'été Chris reconnaît, admiratif :

— Un curé ça sait tenir sa langue, il est chic quand même !

XV

La tête « à l'envers » ce matin, Rose avait fini son ménage plus tôt que d'habitude. Elle attendait Madame qui s'était rendue à une messe dite à l'intention de monsieur le Curé.

Pour tromper son attente, elle s'était assise sur la chaise où, en dessous, la paille était éclatée. Devant la fenêtre basse, elle recousait l'ourlet de son tablier.

Quand, enfin, elle entendit venir vers elle les pas sourds de sa patronne, elle eut du mal à se maintenir assise sur sa chaise.

— Rose ?

La servante coupa le fil avec ses dents. Encombrée de son chagrin elle se leva. Elle était debout maintenant avec son aiguille dans une main, son tablier dans l'autre. Elle remarqua alors que Madame avait les traits tirés. Elle, d'habitude si prompte à s'inquiéter, mit cela sur le compte de l'émotion.

Un long moment les deux femmes parlèrent à mi-voix. Elles évoquèrent la dernière fois où monsieur le Curé était venu à la Musardière. Elles plaignirent cette pauvre Marguerite qui était partie prendre sa retraite chez une cousine. Désormais elle habitait au bourg.

A ces menus bavardages elles se réchauffaient l'une l'autre le cœur. Ainsi faisaient-elles l'hiver, quand elles se retrouvaient isolées dans cette demeure trop grande pour deux femmes seules. Il n'était pas question de larmoyer. Madame Rivoix n'aurait pas aimé. Mais se souvenir était une manière de voyager dans le temps, qui était de leur âge à toutes deux.

Bientôt la conversation dévia sur feu monsieur Rivoix. Plus âgé que sa femme de treize ans, il était décédé à soixante-dix-huit ans. Tout doucement la maîtresse de la Musardière le rattrapait.

Dans la cuisine tout était tranquille. Seule la bouilloire, oubliée sur le feu, chantait, entrecoupée de hoquets. Sur le buffet avait réapparu le panier d'osier.

Remplissant le silence la bouilloire se mit à siffler. Sur ses pantoufles Rose glissa jusqu'à la cuisinière. Au passage elle attrapa un chiffon qui pendait près de l'évier. Elle éteignit le feu, souleva la bouilloire qu'elle balança en prêtant l'oreille : il n'y avait plus une goutte d'eau. Ne sachant plus pourquoi elle avait fait bouillir de l'eau, elle la reposa. Enfin, la mémoire revenant, elle se retourna vers sa patronne qui n'avait pas bougé. Près de la fenêtre elle regardait le chaton qui se prélassait sur le banc de pierre.

— J'avais fait de l'eau, si toutefois vous aviez envie d'un thé ?

— Non, merci Rose. (Suivit un silence.) Tu sais, je suis contente que tu l'aies adopté...

Sans répondre, la vieille fille sortit ses casseroles. C'était l'heure de se mettre aux fourneaux. Et cela tombait bien. Elle n'aimait pas étaler ses sentiments. Par pudeur, mais aussi parce qu'elle ne connaissait pas les mots qui auraient pu traduire ses émotions. Elle savait rire ou pleurer. Cela lui suffisait bien. Pour le reste « Au philosophe ! » lançait-elle sans bien savoir ce que ce mot cachait. Comme elle aurait crié enfant « aux orties ». Elle n'avait pas bien le temps, Rose, de s'occuper de ses états d'âme. Elle poussait devant elle ses jours, comme elle poussait son balai.

Respectueuse du travail de sa servante, Agathe Rivoix alla décrocher un chapeau de paille qui pendait derrière la porte. Elle prit sur le rebord un panier où attendait un sécateur. Puis elle partit à la recherche de Quentin qui travaillait au potager. Elle marcha sans se presser. Depuis cet hiver, depuis son premier accroc sérieux, elle se sentait quelquefois fatiguée.

Mais quoi ? Il valait mieux que son vieux cœur palpite un peu fort, que de le voir s'arrêter ! Le docteur Vignon, en qui elle avait toute confiance, ne lui avait pas caché son état : la machine n'était plus si neuve. Mais bah ! cette année, elle allait quand même atteindre ses soixante-quinze ans.

Elle gardait confiance. Avec des emballements ou des ratés, son cœur tiendrait bien encore un peu. Le temps que sa petite-fille retrouve sa joie de vivre. Après ? Dieu y pourvoirait.

Marthe s'était installée sur une chaise longue à l'ombre du tilleul. L'air était à la douceur. Avec un bout de laine blanche elle tricotait sa vingtième brassière de l'année. Elles étaient toutes destinées aux orphelins.

Vers quatre heures, Rose était venue la prévenir qu'elle partait au village. Ce n'était qu'un prétexte. Elle se faisait du souci pour sa patronne et désirait s'en ouvrir à Madame Marthe. Elle pensait qu'il serait mieux d'appeler le docteur Vignon avant que celui-ci ne parte en vacances. Bien sûr, il n'était pas question de prendre Madame de front.

Rose caressait près de la lèvre deux poils follets. Elle cherchait une solution. Avec sa mantille noire sur la tête, elle ressemblait ainsi à un chat conspirateur, sorti tout droit des illustrations de Gustave Doré.

Par-dessus ses lunettes, Marthe considérait la servante. La sachant plus têtue qu'un âne, elle ne chercha pas à la rassurer. C'était peine perdue. Aussi promit-elle qu'elle ferait en sorte que le vieux docteur de famille vienne à la Musardière.

Forte de cette promesse, Rose, vêtue de sa robe du dimanche, s'en fut au village.

Marthe était toujours assise sous le tilleul. Quand, montant de la vallée, cinq coups sonnèrent. Comme un écho venu de l'autre côté de la colline, ils furent aussitôt doublés par cinq coups venus de Charmille.

Attentive, elle arrêta son tricot. Déjà cinq heures ! Et sa sœur

99

n'était toujours pas descendue de sa chambre. Elle planta ses aiguilles à tricoter dans sa pelote de laine, et décida d'aller voir.

Les cheveux mouillés, torsadés comme un chiffon égoutté, Victoire revenait de la rivière. Elle avait passé l'après-midi à se baigner. Elle montait se changer, quand, en haut de l'escalier, elle rencontra sa tante Marthe.

— Ah ! te voilà, ma petite... Ta grand-mère a eu un malaise. Il faut téléphoner au docteur Vignon. Surtout pas un mot de tout ça à Rose !

Victoire jeta un coup d'œil dans la cuisine. La porte et les fenêtres étaient closes. Rose n'était pas encore rentrée. Elle repassa dans l'office. Près du téléphone était punaisée une affichette. A la troisième ligne, elle lut : « Docteur Vignon ». Elle composa le numéro. Ses mains tremblaient. Après trois sonneries elle reconnut la voix apaisante du vieux médecin. Il promit d'arriver tout de suite.

Soulagée, elle reposa le combiné noir. C'était le téléphone de dépannage que Rose décrochait avec circonspection. Uniquement quand Madame était absente ou trop loin dans le jardin pour répondre. Sur le fil enroulé traînaient des traces de farine.

Elle allait remonter à l'étage, quand sa grand-tante vint à sa rencontre.

— Le docteur arrive tout de suite. Comment va grand-mère ? questionna Victoire.

Malgré toute son anxiété Marthe ne put s'empêcher d'admirer la beauté de sa nièce. Dans son peignoir blanc, son teint paraissait encore plus hâlé. Quelques mèches de devant encore mouillées s'étaient échappées de la torsade. Elles encadraient un visage aux traits fins et racés. Les yeux clairs brillaient d'inquiétude.

— Mieux, beaucoup mieux. Elle est revenue à elle. Elle a même prononcé quelques mots.

— Je monte me changer et je cours au portail accueillir le docteur.

Dans sa chambre Victoire se frictionna la tête. Promptement

elle enfila un pantalon et une chemise. Elle fit tous ces gestes en s'efforçant au calme. Le docteur allait arriver. Il était un ami de sa grand-mère. Il la soignait depuis des années. Lui seul saurait dire ce qu'il en était. Elle se raccrochait à cette idée.

Le temps qu'elle ouvrît le portail, elle entendit la 2 CV klaxonner dans le dernier tournant menant à la propriété. La voiture grise passa en cahotant et s'arrêta. Victoire courut, sauta dans la 2 CV qui redémarra aussitôt. A ses pieds un teckel noir à poil ras, qui avait remplacé Brutus, aboyait à la passagère qui avait les pieds sur sa couverture.

Marthe vint à leur rencontre. Le médecin et elle se connaissaient de longue date. Ils se serrèrent la main, échangèrent quelques formules de politesse. Et aussitôt commencèrent à monter les marches, suivis du teckel qui grimpait sur les talons de son maître.

Restée en bas Victoire considérait la silhouette enrobée du médecin. Il portait à la main la même trousse en cuir. Il était toujours vêtu du même costume avachi, en velours côtelé marron. Les poches étaient déformées, à force d'être toujours bourrées d'ustensiles, tels le tabac, la pipe, les lunettes. De taille plutôt moyenne, il avait en proportion le buste plus long que les jambes. Ainsi, vu de dos, il ressemblait à son chien.

Il était un homme affable. En dehors de son métier il prisait la botanique. Voilà un an, il avait pris sa retraite pour ne plus se consacrer qu'à l'herborisation ! Depuis le printemps il s'était mis à voyager. Désertant ainsi les dîners à la Musardière, dont il était pourtant un des fidèles.

En attendant Victoire s'assit sur la marche la plus haute du perron. Dans sa solitude elle appela son cousin à son secours. Elle défendrait sa grand-mère. Cette fois elle ne se laisserait pas faire. «Qu'on oublie un peu la Musardière et ses habitants, qu'on les épargne ! Encore un peu de temps, bon dieu ! encore un peu de temps ! » suppliait-elle.

De colère elle se leva. C'est ainsi qu'elle aperçut Rose qui remontait la grande allée. Elle marchait de sa démarche de pingouin. Ses yeux de chat dardaient entre les trous de sa mantille. Ils ne manquèrent pas d'apercevoir la 2 CV.

Victoire la regardait venir avec appréhension. Déjà elle préparait les phrases apaisantes. Rose était si prompte à se faire du souci...

Au lieu de cela ce fut une Rose toute douce qui se présenta :

— Ah ! le docteur est déjà venu ? Je vais demander s'il y a un menu spécial.

— Grand-mère est dans sa chambre, elle se fait examiner.

— Bien ! Je vois que Madame est dans de bonnes dispositions. Je passe d'abord par la cuisine me débarrasser de tout ça.

Elle montra un cabas plein, d'où dépassait un poireau.

N'en revenant pas de tant de complaisance, Victoire regarda la vieille fille fouiller dans son sac. Il était en cuir noir craquelé de vieillesse. Elle en tira une grosse clef. Puis elle repartit aussi tranquillement qu'elle était venue.

Quelques secondes plus tard Marthe redescendait. Encore sous le coup de l'étonnement Victoire raconta son entrevue avec Rose.

Comprenant le quiproquo Marthe expliqua :

— Elle a dû croire que j'avais fait venir le docteur Vignon à la suite de notre conversation de tout à l'heure. C'est très bien ainsi. Inutile d'éveiller ses soupçons. Ta grand-mère va beaucoup mieux. Le docteur a simplement prescrit du repos et des analyses, qu'elle fera faire ou qu'elle ne fera pas faire... Enfin, tu connais ta grand-mère aussi bien que moi !

Le médecin et son teckel regagnaient la terrasse, quand Rose revint à la charge pour son dîner. Mis dans la confidence, il fit comme s'il avait toujours été question qu'il restât. Toute contente la servante s'en fut dans sa cuisine avec l'ordre de rajouter un couvert.

Son malaise passé : « La chaleur ! » expliquait-elle, madame Rivoix descendit rejoindre tout son monde au salon.

XVI

Victoire avait essayé ses affaires sans trouver une seule robe qui lui plût. Finalement tous ses vêtements s'étaient entassés froissés sur le lit.

De dépit, elle s'était assise, à demi nue, sur le parquet.

— Misère ! tout ce désordre... T'es devenue folle ?

Rose sur le pas de la porte restait ahurie. Derrière ses lunettes cerclées, ses yeux s'étaient écarquillés. De colère elle jeta sur le lit les deux chemises qu'elle avait amoureusement repassées.

— Tiens, dit-elle, t'as encore ça à chiffonner si ça t'amuse !

Et le chignon haut elle sortit en claquant la porte.

Surprise et obstinée, Victoire n'avait pas bougé. Après un moment elle se leva pour aller sur son balcon écouter les oiseaux se chamailler sous la ramure. Accoudée à la balustrade, les larmes aux yeux, elle regarda les creux et les vallons. Ils descendaient en pâturages, reverdis par le dernier orage.

Tant de souvenirs affluaient à sa mémoire : les enfants sont partout, cachés derrière un arbre ou sautant une barrière, silencieux ou riant aux éclats :

— Chiche qu'on se montre bien élevé ce soir ! dit Chris.

— Chiche qu'on se fera beaux ! surenchérit Vic.

Ce soir de réception les cousins revêtent leurs plus beaux habits. Ils font le baisemain et la révérence aux invités. Ils sont d'une sagesse exemplaire.

Tantôt anges, tantôt démons, les cousins ont choisi ce jour-là d'être des anges.

Victoire ferma les yeux, serra les dents. Il ne fallait pas qu'elle pense à eux, mais à elle. Elle devait être belle ce soir pour le dîner donné à la Musardière : elle avait une revanche à prendre sur François Vallier et Chris n'avait pas son mot à dire.

Courageusement elle se décida à rentrer dans sa chambre. Elle commençait à ranger quand à la porte quelqu'un frappa : c'était sûrement Rose qui revenait à de meilleurs sentiments. Toute contente elle alla ouvrir.

— Tante Marthe !

La vieille dame souriait de tous ses yeux papillotants, de toutes ses fossettes creusées. Par-dessus l'épaule de sa nièce, elle évalua la situation : elle remarqua l'armoire béante, les affaires entassées sur le lit. Il lui suffit d'un coup d'œil pour comprendre les grincements de l'armoire, les craquements du parquet sous les va-et-vient incessants, les éclats de voix de Rose... Enfin tout ce qu'elle avait entendu à travers la cloison et qui avait fini par éveiller sa curiosité.

— Bien, dit-elle l'air sérieux, tu as tout essayé et rien ne te va ?

A l'aise au milieu de ce fatras de vêtements, elle virevoltait.

— Eh bien ma chérie, rien de grave donc ! Nous femmes avons toujours une armoire pleine et jamais rien à nous mettre ! Tu n'es pas une exception !

Marthe triait les affaires. Elle tendait à sa nièce des vêtements qu'elle écartait d'autorité. Il ne restait bientôt plus qu'un ensemble.

— C'est décidément en blanc que je t'aime le mieux. C'est une couleur qui permet toutes les folies, tu comprends ? Après quelques retouches ce sera parfait ! Tu me fais confiance au moins ?

Victoire eut un large sourire.

Tout l'après-midi Marthe et Victoire se calfeutrèrent dans la chambre qui sentait le parfum et le médicament. A l'ombre des balustres se disputaient les perruches comme des vieilles filles capricieuses.

Victoire s'était assise au bord du tapis, sur la traînée de soleil. Les ciseaux à la main elle défaisait les coutures. Marthe cousait à la machine.

Dans cette ambiance tranquille, l'après-midi passa. Entre deux essayages, Marthe faisait rêver sa nièce en évoquant ses soirées d'antan. Quelquefois, chacune plongée dans ses pensées, elles se taisaient.

Dans cette chambre, où rarement les jumeaux pénétraient, Victoire se sentait à l'écart de Chris. Et c'était mieux ainsi. D'un naturel possessif il n'aurait pas apprécié ses soudaines coquetteries. Mais ce n'était pas ce qu'il croyait. Aucun charme au monde ne pouvait l'émouvoir. Ce soir elle voulait simplement jouer, éprouver sa féminité, se venger d'un certain air moqueur, se mesurer à cette fille aperçue dans la cour de la mairie.

Elle n'était plus la petite fille émerveillée de tout. Elle avait grandi, elle saurait se défendre à l'occasion. Cet été elle était venue à la rencontre de son cousin. Il n'y avait pas de place dans sa vie pour un François Vallier. Il ne connaissait rien d'elle, rien d'eux.

Dans la chambre aux tons chauds de fruits mûrs, dans le silence ponctué du cri des perruches, Marthe aussi se laissait aller au fil de ses réflexions. De temps à autre elle jetait un regard furtif vers sa petite-nièce. Posée plutôt qu'assise, elle était comme un papillon aux ailes toujours frémissantes, prêt à s'envoler.

En rencontrant François Vallier dans le train, Marthe avait aussitôt pensé que cet homme était fait pour Victoire. Beau garçon, intelligent, plus âgé qu'elle de dix ans... il était l'idéal. Le regardait-elle seulement ? Et lui pouvait-il être ému par une jeune fille qui se montrait l'ombre d'elle-même ?

Le manque d'expérience rendait les jeunes inaptes au bonheur. Et Marthe avait suffisamment vécu pour savoir qu'il ne fallait jamais laisser passer l'occasion d'être heureux. Comment expliquer cela à une enfant qui a déjà tant pâti dans la vie et qui refuse de regarder l'avenir ?

Elle aimait sa nièce comme sa propre fille. Cette fille que la vie ne lui avait pas donnée. Elle qui avait rêvé de toute une nichée bien à elle, elle n'avait vécu que solitaire et dans le deuil. Si quelquefois elle disait tant aimer le tumulte de la capitale, c'était parce qu'elle était seule. Il lui avait bien fallu meubler ce vide. Elle était née pour la fête. Cette fête ne s'étant pas déroulée dans sa vie, elle l'avait cherchée dans des artifices. Quelle dérision !

Marthe coupa le fil, réajusta l'étoffe sous le pied-de-biche. Au-dessus de ses lunettes, elle risqua un regard dehors. Cette vue la rendait sereine. Elle aimait la Musardière. Elle était sa source, l'eau vive qui la purifiait. Les deux mois d'été passés ici lui étaient aussi indispensables que l'air qu'elle respirait.

Après Agathe, que deviendrait la propriété ?

Entre deux coutures Marthe posa son regard sur Victoire. Cette enfant avait encore toute la vie devant elle et ne le savait pas.

Elle cassa le fil avec les doigts.

— Voilà ma chérie, cette fois c'est fini, dit-elle.

Le chemisier largement échancré, la jupe virevoltante, pieds nus et décoiffée, Victoire ressemblait ainsi à une bohémienne venue du froid.

— Parfait, reprit Marthe, c'est parfait ! Maintenant attends un peu, je crois que j'ai ce qu'il te faut.

Elle alla fouiller dans le premier tiroir de sa commode. Du plat de la main elle tâtait les colifichets. Elle en choisit un, repoussa le tiroir avec le genou. Dans sa hâte, elle avait étranglé les cinq doigts d'un gant gris perle, un bout de foulard mauve, un ruban de satin blanc. Ils dépassaient du tiroir, rassemblés en une étrange nature morte.

Marthe parut satisfaite. Avant de se retourner, elle engouffra coup sur coup deux truffes au chocolat. Munie d'un foulard jaune paille d'aspect satiné, elle alla le nouer autour de la taille de sa nièce. Elle se recula pour contempler son œuvre achevée : c'était parfait.

Dans sa chambre, une dernière fois, Victoire se regarda dans la glace de son armoire. Derrière l'image reflétée, elle vit la

fillette. Attentive, elle admirait la jeune fille, si femme ce soir.
Elles se sourirent.

Chris était là aussi, un peu dans l'ombre. Sous sa mèche
il dardait un regard noir. «Il est jaloux, se dit-elle, tant
mieux?»

Elle claqua la porte derrière elle.

D'un pas léger elle gagnait l'escalier quand, du fond du couloir, sa tante la héla;

— J'ai trouvé ce qu'il te faut!

Glissant sur ses mules, elle s'approcha à petits pas. Elle tendit une boîte noire. Victoire ouvrit l'écrin, admira la perle fine
accrochée à sa chaîne en or. Son premier geste fut de refuser.
Mais sa tante parut si déçue qu'elle finit par accepter de porter le pendentif le temps d'une soirée.

Quelques minutes plus tard Victoire descendait les escaliers.
Encore froide, la perle s'était nichée dans le creux de son cou.

Au salon les fenêtres étaient grandes ouvertes sur le jardin.
Près du piano Agathe Rivoix mettait la dernière touche à son
bouquet de fleurs. Remise de son indisposition de ces derniers
jours, elle avait l'œil vif et le teint rose. Elle fit un compli-
ment à sa petite-fille sur sa tenue. Puis, avec l'air le plus naturel, de son étui à lunettes elle tira une montre en or.

Cette fois, trop émue, Victoire ne sut que dire.

— Cela me ferait très plaisir que tu la portes ce soir. Essaye-
la au moins, insista sa grand-mère.

A huit heures précises, la voiture de Quentin passait au
ralenti sous les fenêtres. Apparut à la portière la tête du caniche de madame de Fontenac.

Quelques minutes plus tard la 2 CV s'arrêta en grinçant en
bas du perron. Après que le docteur Vignon eut été introduit
au salon, Marthe fit une entrée remarquée. Elle était habillée
de voile noir moucheté de jaune. D'un coup la conversation
s'anima.

Tout en servant l'apéritif Victoire tendait l'oreille. Une fois
ou deux elle tressaillit. C'étaient à chaque fois de fausses
alertes.

A un moment elle entendit frapper à la porte. Elle se pencha par la fenêtre du salon ouverte sur la nuit. N'apercevant aucune nouvelle voiture, elle alla ouvrir. C'était sûrement Quentin ou Rose qui avaient frappé... Devant elle François Vallier attendait, un sourire sur les lèvres. C'était ce même sourire décontracté qu'il avait eu à la gare et qui lui avait aussitôt déplu.

Gardant ses distances Victoire allait et venait, jouant son rôle de jeune fille de la maison. Plusieurs fois elle sentit le regard du garçon peser sur elle.

Très à l'aise François Vallier était entré en conversation avec les vieilles dames qui ronronnaient de plaisir.

A table chacun se pencha pour parler à son voisin. Victoire, en retrait au bout de la table, silencieuse mais sûre d'elle, rayonnait sous la lumière des bougies. Redevenue mondaine et volubile, Marthe jouait de ses ailes mouchetées de jaune. Entre deux bouchées, elle questionnait le jeune homme sur son métier. La conversation lancée, il parla de journalisme. Bientôt ces échanges dévièrent sur la politique. Chacun y alla de son avis.

Plusieurs fois au cours du dîner Victoire sentit que François la regardait. Il cherchait à capter son attention. Elle se dérobait. Elle était comme ces jeunes chattes qui se pavanent en haut d'un mur. Inaccessibles. Elle restait indifférente et superbe. Prête à montrer les griffes à la moindre approche.

Au signal donné par la maîtresse de maison, chacun regagna le salon. Accoudé à la cheminée, François Vallier se laissa entreprendre par le docteur. Victoire servit le café. Plusieurs fois elle croisa le regard du garçon. Toutes traces de moquerie avaient enfin disparu de ses yeux.

La soirée s'étira. Soucieuse de ne pas faire veiller Quentin trop tard, madame de Fontenac, la première, donna le signal du départ. Galamment François Vallier proposa de la raccompagner. Agathe Rivoix accepta volontiers.

Dépêchée par sa grand-mère, Victoire courut dans la nuit prévenir Quentin de ne pas se déranger. Lentement elle remonta l'allée. Une demi-lune brillait entre les feuillages, balancée par la brise du soir. Elle était contente que ce dîner prît fin. Elle était contente de se retrouver seule pour humer l'air du soir. Le parfum de la Musardière. Le parfum de son enfance avec Chris.

Ce parfum que jamais personne ne pourrait partager avec elle.

Quelques cris d'oiseaux se perdaient dans la nuit. Elle aperçut des phares qui venaient dans sa direction. Elle courut se dissimuler derrière les arbustes qui cachaient la remise. Elle n'avait plus qu'une hâte : retrouver le silence de sa chambre.

XVII

En cette fin de journée, deux enfants affolés courent à travers champs. Ils dévalent le raccourci qui mène à la Musardière.

Derrière eux les accompagne la musique du bal. Elle s'estompe à mesure qu'ils s'éloignent.

Sur le chemin chaotique ils se pressent, leurs silhouettes se découpent sur un ciel sans plus de soleil et encore sans lune, mais où le jour se meurt.

A la maison, la cloche a sonné à plusieurs reprises et longuement l'heure du dîner. Là-bas les trois femmes les attendent dans le silence du salon. Elles ne parlent pas. Une fois de plus elles sont inquiètes.

Pour masquer son escapade Chris déchire sa chemise. Il se roule dans la terre sèche. Volontairement il s'égratigne le genou en criant, pas très courageux :

— Ouille ! C'est vrai que ça fait mal !

Malgré sa peur, Vic le regarde faire avec admiration. Comme elle regrette ! Jamais elle n'aurait dû céder, jamais !

Le garçon voit son air et lui fait la leçon :

— Tu te tais et gare à toi si tu dis quelque chose.

Chris s'est si bien arrangé que, lorsque les « jumeaux » pénètrent dans la maison, les vieilles dames ne pensent même plus à les gronder. Agathe et Marthe inspectent Chris sous toutes les coutures pour s'assurer qu'il n'a rien de cassé. Elles dépêchent Rose à l'office où se trouve la trousse à pharmacie. Elles pressent les enfants de questions.

Comme convenu Chris est seul à parler. Il a réponse à tout. Mais, devant Rose, il tient à rester évasif. La vieille fille n'est pas dupe. Chaque fois qu'il se risque à donner un peu trop de détails sur son accident, elle se venge en frottant un peu plus fort le genou abîmé.

Marthe, la douce Marthe, s'aperçoit de la rudesse de la vieille fille. Elle intervient :

— Rose, attention, il a mal cet enfant !

Alors, Rose, dont le rouge monte jusqu'aux yeux, rétorque avec ses airs des mauvais jours :

— Quand on ne sait pas courir sans tomber, on ferait mieux d'être moins douillet ! En tous cas c'est pas la langue qui a été abîmée à ce qui m'a l'air.

Malgré sa mauvaise humeur Rose n'a rien dit de ses soupçons.

Le genou bandé, la chemise changée, les cheveux peignés, Chris dévore son dîner. Il attend que Rose retourne à la cuisine pour raconter son accident. Il le fait, cette fois, avec force détails. Sentant son auditoire acquis, il en rajoute. Personne autour de la table n'a l'idée de mettre sa parole en doute. Même sa cousine ne jurerait plus que ce qu'il dit est faux.

Mais le flair de Rose est redoutable. Le lendemain du 14 Juillet est un dimanche. Le chignon bien tiré et sa robe noire à impressions blanches passée, elle s'en va au village où quelques commères l'attendent autour d'une tasse de café.

Pour la plupart, veuves ou laissées-pour-compte, ces femmes ne sont pas des amies. Elle le sait. Mais elle les connaît depuis son enfance. Et un rendez-vous le dimanche compte. Alors, une oreille distraite, et un ouvrage à la main, Rose va s'asseoir devant sa tasse de café. Ici elle apprendra les derniers commérages. Avec son bon sens paysan, elle préfère les entendre cancaner en sa présence, plutôt que de leur tourner le dos.

Ce dimanche-là, justement, par quelques amies bien intentionnées, Rose apprend que les jumeaux se sont rendus au village le 14 Juillet. Et ce malgré leur promesse.

— Après tout c'est de leur âge ! glisse, doucereuse, une vieille fille au visage anguleux.

Rose se contient. Elle ne dément pas. Prudente, elle abonde au contraire dans ce sens.

— Ils ont eu la permission cette année. C'est bien normal, ils sont si raisonnables.

— Moi aussi je les ai rencontrés ces chers petits. Ils avaient l'air de bien s'amuser... A ce qu'il paraît, ils ont même réussi à rentrer au bal ! Ils ont dansé un grand moment, savez-vous ?

Rose ne sourcille toujours pas.

En fin d'après-midi elle regagne la Musardière. « Ah les vauriens, ah les vauriens ! » se répète-t-elle. Dans sa tanière elle va attendre avec patience et détermination le moment de sa vengeance. C'est surtout à Chris qu'elle en veut. C'est toujours dans sa tête que germent les mauvaises idées.

Un jour, deux jours passent. Prudents, les enfants évitent de rencontrer Rose. La semaine s'écoule sans heurts. Leur méfiance endormie, un matin ils se risquent jusqu'à la cuisine. Ils viennent chaparder une éponge pour laver leur bicyclette. C'est l'heure où la vieille fille monte faire les chambres.

Par malchance, ce matin-là, Rose vient juste de redescendre à l'office. Elle fouille dans sa réserve à chiffons, quand elle entend Chris dire à voix basse à sa cousine :

— Tu viens ? On peut y aller y'a personne !

Rose plisse ses yeux de contentement. Elle attend que les cousins pénètrent dans la cuisine pour paraître à l'embrasure de la porte. Les mains sur les hanches, d'une voix d'ogre elle crie :

— Non, personne, vraiment !

Les enfants sursautent. Ils restent pétrifiés. Suit une joute verbale entre le garçon et la servante. Après quelques coups de griffes, tel Raminagrobis, elle fond sur sa proie.

Chris connaît son adversaire. La tête dans les crocs, il n'avoue pas.

— Tu te trompes Rose, ce n'est pas nous... Puisque je te dis que ce sont les enfants du crémier qui étaient au bal... C'est vrai qu'on a fait un petit tour au village mais on est revenus tout de suite... C'est en faisant de la bicyclette au bord de la rivière que je suis tombé !

Acculée de peur au fond de la cuisine, la fillette se tait. Toutefois, soucieuse de ne pas laisser tomber son jumeau en un moment si difficile, de la tête elle acquiesce à chacune de ses affirmations.

Rose en a vite assez de jouer au chat et à la souris. Jugeant la leçon suffisante, elle laisse échapper sa proie.

Ouf ! C'est fini ! Sans demander leur reste les enfants repartent en courant. Ils se réfugient tout en bas du jardin. Un long moment ils écoutent leur cœur battre dans leur poitrine. Ils ont eu peur, très peur. Mais ils savent que si Rose est une adversaire de taille, elle est aussi sans détours. Elle règle ses comptes toute seule. Elle n'en soufflera mot à leur grand-mère.

Un moment encore, ils restent assis sur la terre poussiéreuse. Par bouffées les effleurent les parfums capiteux qui s'échappent du verger. Chris réfléchit. Vic observe à la dérobée le profil tendu vers elle ne sait quelle nouvelle invention. Le regard gris se tourne vers elle, s'illumine.

— J'ai une idée. Suis-moi !

Et voilà que les moineaux réconfortés sortent du nid. Ils volent. Ils ont encore tant à faire dans le jardin de leur été. De cet été qui n'est encore que l'aube de leur enfance.

Deux enfants courent dans la campagne. Ils passent par le verger, cueillent un fruit défendu, poussent la barrière du pré-au-cerf, descendent à la rivière.

Chris ne résiste pas à cette eau chantante.

Les chaussures dans une main, les chaussettes dans l'autre, il saute d'une pierre à l'autre. Vic le suit en trottinant à l'ombre de la futaie. Bientôt une haie de peupliers leur barre la route. Elle se balance mollement au vent. C'est elle qui délimite la propriété. Derrière c'est l'aventure.

— Enlève tes sandales, commande Chris sur un ton qui ne souffre pas de réplique.

La fillette hésite, ils n'ont pas le droit d'aller plus loin.

— Bon je sais : «On n'a pas le droit… C'est interdit… Grand-mère a dit… » Et je ne sais plus quoi encore ! Mais viens voir au moins, j'ai quelque chose à te montrer.

— Un secret ?

— Oui, un énorme secret !

Vic enlève ses sandales et suit son cousin.

L'eau est froide, à chaque saut elle manque de prendre un bain forcé. Ils font ainsi quelques mètres jusqu'à un petit pont qui relie les deux berges. Il est rond et couvert de mousse.

Chris saute sur la berge. Il tend une main secourable à sa cousine. C'est avec plaisir qu'elle se retrouve sur l'herbe haute.

— C'est ici ! dit-il.

Elle tend le cou. Elle ne voit rien que les arbres. Un papillon passe, insouciant et léger.

Chris l'entraîne par la main. Ils arrivent enfin à l'orée d'une clairière. Sous les arbres est nichée une maisonnette. Ils collent leur nez sur les carreaux empoussiérés : l'intérieur est petit. On dirait une maison de poupée.

Des jours entiers, les enfants viennent rôder autour de la masure. Tapis derrière les arbres, ils montent la garde. Jamais personne ne vient. Il leur faut se rendre à l'évidence : cet endroit n'est autre qu'un cul-de-sac. Une campagne reculée où personne ne passe. Un endroit du bout du monde.

Un matin Chris part très tôt. Il n'a rien dit à sa cousine qui le cherche partout. Il revient dans la matinée avec cet air que la fillette lui connaît bien. Un air à la fois énigmatique et content de soi, de celui qui a fait une bêtise. Elle se méfie quand il prend cet air.

Tardivement ce jour-là ils prennent leur petit déjeuner sous la haute surveillance de Rose qui bougonne. Les vieilles dames vaquent déjà à leurs occupations. Au-dessus de son bol, la fillette surveille son cousin du coin de l'œil. Elle brûle de savoir, mais ne pose aucune question. Feindre l'indifférence est le plus sûr moyen de l'amener à lui raconter.

A peine le petit déjeuner fini, Chris entraîne sa cousine. Un sourire indompté illumine son regard de jeune loup. Dans sa hâte il vole plutôt qu'il ne court. Ils dévalent la pente herbeuse du pré-au-cerf, suivent le ruisseau, dépassent le petit pont, arrivent à la maisonnette.

Essoufflé mais content Chris dit avec l'air satisfait de celui qui prépare un bon coup :

— Approche, tu vas voir !

D'un coup de genou, il pousse la porte en bois. Sous le choc elle s'ébranle ; elle s'ouvre.

Les yeux écarquillés Vic ne bouge pas. Il la prend par la main et lui fait faire le tour du propriétaire.

— Tu as vu, c'est chouette. Il y a tout ce qu'il faut, un banc, des chaises, une table...

Pour bien montrer qu'il dit vrai et qu'elle ne rêve pas, chaque fois que le garçon énumère un meuble, il lui donne un coup de pied.

— Alors ma vieille, qu'en dis-tu ?

— Comment tu as fait ?

— Ça c'est mon affaire. Mais ne te fais pas de souci, je pourrais refermer la porte à clef si nécessaire. Un peu de bricolage et le tour est joué. En attendant tu es chez toi !

— Chez moi ?

— Eh bien oui, chez nous si tu préfères. Je ne me suis pas donné tout ce mal pour rien. J'ai bien l'intention de venir m'y installer.

— Mais...

Sous la mèche bordée de blond, les yeux gris lancent un regard irrité.

— Tu as toujours peur de tout ! Que veux-tu qu'il nous arrive ? Tu as bien vu, jamais personne ne passe par ici !

Les jours suivants les enfants se mettent à l'ouvrage. Après une semaine de durs travaux, la maisonnette abandonnée est ressuscitée. Une balayette dans la main, la fillette s'est assise sur une marche à l'entrée de la masure. Pour faire comme Rose, elle s'est noué un foulard dans les cheveux.

Dehors le garçon frappe à grands coups de marteau sur un clou qui ne veut pas rentrer. Il vient de se taper sur les doigts.

Enervé, il envoie promener son outil. En se suçant le doigt douloureux, il va s'asseoir à côté de sa cousine. Ils se regardent et sourient.

A la fin de l'été, tout un tas d'objets ont été traînés de la grande maison à la masure. Vic se montre réticente devant ces vols répétés.

— Je ne vole pas, j'emprunte, c'est pas pareil ! A la fin des vacances je remettrai tout en place et ni vu ni connu, tu verras.

Il est vrai qu'ils sont si bien dans leur repaire. Ils y passent tout leur temps. Vic finit par croire que cette maison est vraiment à eux. Quand quelquefois il fait un temps gris, ils se calfeutrent à l'intérieur, douillettement installés sur des vieux coussins.

Alors ils rêvent qu'ils vivent sur une île déserte. Ils entendent les vagues s'échouer sur la plage, les bêtes sauvages hurler dans la forêt. Vic n'a pas peur : Chris est là. Tout près d'elle il chuchote et son haleine contre sa joue est une caresse.

Dans cette cabane du bout du monde ils sont heureux comme jamais.

XVIII

La bruit de la tondeuse à gazon tira Victoire de son sommeil. Cet instrument avait pour particularité de provoquer chez Pataud des aboiements sans fin. Il n'était plus question de dormir.

Elle se redressa, lança les draps brodés qui allèrent s'aplatir contre les bois de lit. D'un bond elle fut debout. Dans sa longue chemise de nuit blanche, elle s'accota à la balustrade du balcon. Elle s'attarda à regarder l'homme qui allait et venait derrière la tondeuse. Le chien suivait, les oreilles basses, la queue entre les pattes. Il aboyait à la machine infernale. Plus par jeu que par réprimande, de temps à autre, le maître faisait semblant de lever la main sur son compagnon à quatre pattes. Il bondissait sans s'arrêter pour autant.

Du haut de son balcon Victoire suivait la scène et s'en amusait. Le jardinier, se sentant surveillé, leva les yeux. Il vit la jeune fille accoudée. Elle souriait, le visage posé sur ses paumes ouvertes. Quentin arrêta la tondeuse.

— Et moi qui vous croyais déjà levée ! Le jardinier écarta plusieurs fois les bras en signe de consternation. C'est que j'étais tellement sûr...

— J'ai bien assez dormi. Les vacances ne sont pas si longues, il faut savoir en profiter !

Elle leva les bras comme pour toucher le ciel. Puis elle s'étira de bonheur. Quentin hocha la tête et remit en route la tondeuse à gazon. Pataud aboya, fou furieux.

Victoire sourit à la scène. Puis elle ferma sa fenêtre. Ça sentait bon l'herbe coupée.

— Alors, ma petite-fille, bien dormi ?

Sans répondre Victoire questionna à son tour :

— Quelque chose ne va pas, grand-mère ?

— Mais non, mon petit, tu sais bien comment sont Rose et ta tante ! Allez, viens donc t'asseoir, Rose va te servir ton petit déjeuner.

Cette dernière phrase était un ordre. Toute ronchonnante Rose alla quérir du lait chaud à la cuisine.

Victoire s'assit. Sa grand-mère avait le teint si pâle qu'elle s'inquiéta :

— Grand-mère, vous n'êtes pas malade, au moins ?

Marthe, qui jusque-là s'était tue par délicatesse, ouvrait la bouche pour répondre, quand sa sœur, autoritaire, la rabroua.

— Marthe, je t'en prie !

Puis, gênée de s'être quelque peu emportée, d'un ton radouci, elle expliqua :

— Ce n'est rien, il paraît que j'ai mauvaise mine. Sans doute n'ai-je pas l'habitude de veiller, voilà tout !

— Ce n'est rien... Ce n'est rien... C'est toujours rien avec Madame !

Ceinte de son tablier à carreaux, Rose était revenue de la cuisine aussi rapidement qu'elle avait pu. Elle ne voulait pas perdre une miette de la conversation. Malgré tout le respect qu'elle devait à Madame, elle ne pouvait s'empêcher de dire ce qu'elle pensait.

Mi-agacée, mi-touchée de la sollicitude un peu envahissante de la vieille fille, Agathe Rivoix ne répondit pas. Rose secouant un chignon têtu versa le lait bouillant dans la tasse de la « petite ».

Dans son désarroi, retrouvant un geste de son enfance, Victoire prit sa cuillère pour chasser, cerner, crever les bulles blanchâtres qui s'étaient formées à la surface du liquide. Visiblement, sa grand-mère faisait des efforts pour paraître comme d'habitude. Mais ce matin des cernes bleus ressortaient sous la transparence de la peau.

120

« Une bulle, deux bulles, dix bulles » comptait l'enfant terrorisée qui se cachait en elle. Elle se refusait à penser. Le monde qu'elle reconstruisait n'allait pas déjà s'écrouler... La Musardière était le seul lien avec son enfance. Si sa grand-mère venait à mourir c'est toute une mémoire qui disparaîtrait.

Marthe profita de cet intermède, où chacune restait sur ses positions, pour placer un mot :

— Enfin, c'est vrai, Rose a raison, tu n'es pas raisonnable à la fin ! Fais au moins venir un médecin !

Victoire écoutait, ne sachant quel parti prendre : le docteur Vignon était le seul médecin en qui sa grand-mère avait confiance et il était absent jusqu'à la fin août. Elle en était là de ses réflexions quand, d'une boutade, Agathe Rivoix mit un point final à la discussion :

— Alors, si je comprends bien, vous me voyez déjà à l'article de la mort ! Et bien sachez que ce n'est pas encore pour aujourd'hui !

Dans son coin Rose suffoqua sans mot dire, tandis que Marthe jetait un coup d'œil amusé à sa sœur. Elle reconnaissait bien là le caractère têtu de feu leur père. Devant tant d'opiniâtreté leur mère finissait toujours par céder. Et c'est aussi ce qu'elle allait faire.

Soulagée de voir sa grand-mère prendre le dessus, Victoire but son lait tiédi.

— Tu as un programme, ma petite-fille ?

— Non, pas précisément, grand-mère... Vous voulez que je fasse des courses ?

Une chaleur lourde ondoyait sous un ciel indécis.

Avec entrain, malgré la chaleur, Victoire avait monté la dernière côte. Comme chaque samedi, jour de marché, dès l'entrée du village c'était la cohue.

Ce marché, de dimension modeste à son commencement, avait si bien enflé qu'il était devenu l'attraction de la semaine. Il était jalousé de tous les clochers environnants. Jusqu'à la cathédrale du bourg.

Les voitures embouteillaient la rue principale. Pour passer

mieux valait être piéton. Aussi Victoire descendit-elle de bicyclette pour terminer à pied.

Elle poussa la porte de la confiserie. Se diffusa un parfum suave fortement vanillé. Cet effluve lui flattait l'odorat en même temps qu'il ravivait ses souvenirs. Elle inspecta les bocaux, toujours les mêmes, remplis de sucettes, de dragées, de caramels, de bonbons aux couleurs acidulées. Elle se revoyait avec son cousin, le nez écrasé, les mains aplaties contre la vitrine. Au-dessus de leur tête étaient gravés en grands caractères les mots magiques « Pâtisserie-Confiserie ».

Bien que sachant d'avance ce qu'ils allaient choisir, ils mettaient chaque fois un temps infini à se décider, pour le simple plaisir de regarder, d'hésiter. Ce moment, important entre tous, faisait déjà partie du bonheur.

Victoire déposa les emballages de glace sur le comptoir derrière lequel attendait la patronne. Elle ressemblait à un sucre d'orge, avec ses joues fardées à outrance. Sa bouche trop maquillée avait la forme d'une cerise confite. Ses rondeurs étaient, comme d'habitude, emmaillotées dans des dentelles.

Victoire commanda une glace vanille.

— Cela fera, Jacqueline, trois francs cinquante, dit la patronne en montrant du doigt une grosse fille assise derrière la caisse.

« Jacqueline ? » se répéta Victoire. La fille trônait derrière sa caisse. Les seins en devanture dans sa robe moulante et largement décolletée, elle souriait du bout des lèvres. Absente.

Victoire soutint son regard, mais ne rencontra aucun étonnement, pas même un éclair de contrariété, ou une pointe de défi : il était vide de toute expression.

La grosse fille, aux cheveux brûlés par les décolorations successives, fit chanter son tiroir-caisse. Elle avança la monnaie de ses doigts boudinés, ornés de bagues à quatre sous. Victoire prit les pièces déposées sur la plaque de cuivre.

La patronne lui tendit la glace et lança un « Merci mademoiselle » haut perché qui se fondit dans le tintement des clochettes accrochées à la porte.

La monnaie dans une main, la glace dans l'autre, Victoire se retrouva sur la place : Jacqueline ! Que lui était-il arrivé pour

122

qu'elle se fût laissée aller de la sorte ? Elle, autrefois si belle, coqueluche de tous les hommes du pays... Dire qu'il y avait trois ans, cette Jacqueline l'avait tant fait pleurer ! Elle avait été si belle, si attirante, si... Dire qu'elle avait tant souffert à cause de cette grosse fille, sans grâce, qui terminait caissière dans une confiserie. Elle était partagée entre deux sentiments contradictoires : la vengeance et la pitié.

Elle lécha la glace, fit quelques pas et soudain éclata de rire : « Franchement, Chris, tu aurais pu mieux choisir ! » Dans son hilarité elle ne s'aperçut pas que deux larmes s'étaient échappées de ses yeux et coulaient sur sa joue.

Encore bouleversée de cette rencontre Victoire marchait au hasard parmi les badauds, quand quelqu'un lui barra le chemin de toute sa stature :

— Bonjour.

François était là, devant elle, souriant. Elle finit par lui tendre une main hésitante et bredouilla :

— Excusez-moi, je suis en retard.

— Quelque chose ne va pas ? On dirait un ange qui s'est trompé d'étoile.

Victoire trouva la remarque stupide. Elle fit un pas en arrière. Il fit un pas en avant.

— Si vous êtes pressée, j'ai ma voiture garée tout à côté. Je vous raccompagne, proposa-t-il.

Victoire pensa à sa bicyclette. Elle n'osa rien dire de peur qu'il ne se moque encore d'elle. Furieuse, elle se retrouva assise dans la voiture.

Cherchant un sujet de conversation François parla du dîner donné la semaine dernière à la Musardière. Devant le mutisme de la jeune fille il s'enquit :

— Tout le monde va bien, votre grand-mère ?

— Non... Enfin oui, tout le monde va bien.

Victoire s'était reprise à temps. Pourquoi irait-elle dire à cet étranger que sa grand-mère était fatiguée ? En quoi cela le concernait-il ?

François se tut. Il se sentait décontenancé devant cette jeune fille. Elle ne ressemblait à personne avec son visage buté. Avec ses airs de sortir d'un autre monde. Si femme l'autre soir. L'air si enfant ce matin. Si perdue.

Victoire piaffait. Avec tout ce monde sur la route, elle aurait eu plus vite fait à bicyclette. Elle avait hâte d'arriver. Après cette matinée pleine d'embûches, elle avait comme un pressentiment.

Peu avant l'entrée, elle descendit, remercia brièvement.

A son grand étonnement le portail était resté ouvert.

XIX

Depuis ce matin toute la maisonnée était désemparée. Agathe Rivoix avait été victime d'un nouveau malaise.

C'est Rose qui avait trouvé sa maîtresse affaissée sur sa chaise. Elle avait couru prévenir la sœur de Madame. Cette fois, Marthe n'avait pas hésité. Elle avait appelé le médecin qui remplaçait le docteur Vignon. Ce jeune homme un peu gauche avait aussitôt décrété qu'il fallait hospitaliser d'urgence la malade et la mettre en observation.

Quelques minutes plus tard, Marthe, le cœur serré, Rose, les larmes aux yeux, avaient regardé la maîtresse de la Musardière se faire emmener. L'ambulance partie, debout sur le perron, les deux femmes avaient attendu un moment. Elles étaient restées là, toutes perdues ; pas très sûres que le bruit de la sirène qui s'évanouissait dans le lointain fût réel.

Tout avait été si vite. Le médecin qu'elles n'avaient fait qu'entrevoir. Les infirmiers qui avaient refusé que Marthe accompagnât sa sœur. Jamais elles n'avaient autant regretté le vieux docteur Vignon. Avec son bon sourire, il aurait su faire taire leur appréhension, leur expliquer...

Après un long silence les deux femmes s'étaient décidées à rentrer au salon.

C'est seulement alors qu'elles s'étaient souvenues que la « petite » allait revenir du marché. Il faudrait bien lui apprendre la nouvelle.

En attendant, dans un instinct de protection, Rose et Marthe ne s'étaient pas quittées. Quand, parfois, il leur venait l'idée d'échanger quelques paroles, c'était à voix basse, comme pour éviter de se faire davantage peur. Après, le silence s'installait à nouveau entre elles. Chacune s'abîmait dans ses pensées. Rose était pleine de remords de ne pas avoir insisté pour que Madame n'en fasse pas tant. Marthe regardait obstinément à travers la fenêtre. Elle se revoyait enfant jouant avec sa sœur... C'était hier.

A midi, après que François l'eut déposée devant le portail, Victoire avait couru jusqu'à la maison. Connaissant le goût intraitable de sa grand-mère pour l'exactitude, elle s'était rendue directement à la salle à manger : personne. Tremblante d'angoisse, elle avait ouvert la porte du salon. Là, Marthe était assise sans aucun ouvrage à la main. Elle était pâle. Dans le fond de la pièce, Rose faisait semblant d'épousseter quelques bibelots. Alors qu'à l'heure du déjeuner, le diable lui-même n'aurait pu lui faire quitter ses fourneaux.

— Grand-mère ? avait questionné Victoire.

Mais déjà elle avait compris.

Le soir n'en finissait plus de s'installer et les heures de s'écouler.

Un soleil pourpre déclinait superbement à l'horizon. Les nuages, la terre, sombraient dans le même brasier ; dans la même mort.

S'il suffisait, comme le jour, de mourir pour renaître, songeait Victoire, elle aurait aimé mourir ; rien qu'une fois, pour savoir.

Pendant des mois, elle avait espéré la mort, comme une délivrance ; pour ne plus sentir ce désespoir l'envahir. Mais comment meurt-on quand on est jeune et encore si pleine de vie ?

Son regard resta longtemps posé sur une haie comme un point d'interrogation. Puis il s'anima, descendit le long de la pente, passa les barrières, sauta les arbres, pour revenir sur la plaine où le soleil terminait de se consumer.

126

Pour tromper son angoisse elle fit quelques pas jusqu'à la grande allée. Le jour fuyait. Des centaines d'oiseaux chantaient, acharnés, un dernier refrain. A les entendre elle sentait son cœur s'alléger. En elle le calme se fit. Alors, pourquoi ? Comment ? Elle sut avec certitude que sa grand-mère serait bientôt de retour à la Musardière. L'été ne serait pas fini.

Apaisée, elle gagna la maison. Des fenêtres coulait de la lumière. Sur le perron Marthe se tenait tout émue à l'orée du soir. Un sourire fragile sur ses lèvres, elle regardait s'approcher sa nièce.

— Viens, ma chérie, Rose nous a préparé un bon dîner.

Avec une tendresse jamais pesante Marthe veillait sur sa nièce. Dans la salle à manger où deux couverts seulement étaient dressés, Rose officiait en silence. Victoire partie se coucher, les deux femmes restèrent ensemble. Un moment elles discutèrent à voix basse. Peu après des chuchotements montèrent du vestibule. Des portes se fermèrent. Des pas menus glissèrent sur le parquet jusqu'à la chambre de Marthe.

La maison maintenant était redevenue silencieuse. Par l'absence elle était comme vidée de sa substance.

Les yeux grands ouverts sur la nuit, Victoire attendait à demi couchée sur son lit.

De l'autre côté de la cloison, comme chaque soir, elle entendait sa tante parler à ses perruches. Toutes ensembles, telles des vieilles filles en mal d'amour, elles répondaient dans leur langage aigu, renchérissant à chaque mot tendre.

Ce soir ces bruits familiers la rassuraient. Cette journée s'était enfin fondue dans la nuit. Il fallait la conjurer... qu'elle ne revienne plus jamais rôder par ici. Jamais ! Dans son canevas, un des fils qui relie à la vie avait failli lâcher.

— Chris ! appela-t-elle tout bas.

Elle attendit dans le noir. Rien ne se passa. Dans son lit elle se recroquevilla. Elle pencha sa tête sur ses genoux. Ses cheveux coulèrent sur sa chemise de nuit. Elle se mit enfin à pleurer. Un long moment elle sanglota. Puis elle s'apaisa et le miracle se fit. Chris était là, face à elle. Il la regardait, un sourire étonné au bord des lèvres. Il voulait lui dire quelque chose qu'elle n'entendait pas. Alors, d'un coup de tête agacé, il rejeta sa mèche et disparut.

Éperdue, elle le rappela. Il fallait qu'elle sache... sa grand-mère.

Vers dix heures du matin, inquiète, Marthe pénétra dans la chambre de sa nièce. Doucement elle appela.

Victoire ouvrit un œil. La tête encore dans ses rêves, elle cherchait à comprendre. Soudain elle se souvint. Et ce fut comme un coup de poignard.

— Grand-mère ? dit-elle, inquiète.

— Justement, je venais t'apporter de bonnes nouvelles ! J'ai appelé le jeune médecin : il paraît beaucoup plus confiant qu'hier soir. J'ai obtenu la permission de rendre visite à ta grand-mère dès cet après-midi.

Marthe s'efforçait de paraître gaie. Elle s'était assise sur le bord du lit. Elle tapotait la main de Victoire comme pour lui insuffler un peu d'optimisme.

A deux heures juste, Marthe descendait le perron. Les yeux bordés de rouge, Rose regardait la sœur de Madame partir pour l'hôpital. Pendant le déjeuner elle avait suggéré mille questions à poser aux médecins. Mille fois elle avait mis en garde Madame Marthe. Avant qu'elle ne parte, elle lui avait fait encore mille recommandations.

Rose était triste comme un chien fidèle à qui on ne peut pas tout expliquer. Derrière les fenêtres de la salle à manger, elle avait longuement hoché la tête : s'il arrivait quelque chose d'irréparable à Madame, elle ne se le pardonnerait jamais. Parce qu'elle était sûre, Rose, que si le bon dieu l'avait mise auprès de Madame, c'était pour veiller sur elle. La maîtresse de la Musardière en faisait trop. Toujours à distribuer ses bontés, à donner de sa personne. Il fallait bien que quelqu'un s'occupe d'elle ! Peut-être justement n'avait-elle pas fait tout ce qu'il fallait ?

Oh ! comme elle se le reprocherait, Rose. Et sans Madame, que deviendrait-elle ?

La vieille servante essuya ses mains moites sur son tablier. C'était un triste après-midi d'été. Des nuages continuaient de venir assombrir un ciel bas. Pour tuer le temps, elle allait s'installer devant la table de la cuisine. Sous la lampe tirée au plus près, elle terminerait d'user ses yeux sur ce couvre-lit qu'elle espérait finir pour le début de l'hiver.

La voiture partie, Victoire s'était assise sur la deuxième marche du perron. Elle avait regardé le ciel gris, la tête vide de toute pensée : il n'y avait plus qu'à attendre que sa tante revienne.

Pour passer le temps elle ne savait pas trop quoi faire : marcher, lire, faire de la bicyclette...

Tout à coup elle se souvint : sa bicyclette ! Elle était restée au village. En se dépêchant elle aurait juste le temps d'aller la chercher avant qu'il ne se mette à pleuvoir.

Contente d'avoir trouvé une occupation, elle courut au village. Quelques instants plus tard elle redescendait en roue libre. A chaque tournant ses freins grinçaient. Elle en modulait le chant à volonté par la pression de ses mains. Le portail passé, elle salua de la voix Pataud. Dès les premières gouttes de pluie, prudent, il était rentré dans sa niche. Seuls dépassaient deux bouts de pattes et sa truffe. Sur la terre poussiéreuse de l'allée, des gouttes s'écrasaient, lourdes. Sous la pluie qui tombait de seconde en seconde plus serrée, elle pédala jusqu'à la cuisine. Par la fenêtre basse elle aperçut Rose. Penchée sous le rond de lumière crue, elle tirait l'aiguille. Tout autour d'elle régnait la pénombre.

La jeune fille entra, s'ébroua comme un jeune chien.

— Regarde-moi dans quel état... Comme si c'était un temps pour courir dehors ! dit Rose.

Malgré les reproches, l'intonation était indulgente. Lourdement la servante se leva. Les pieds de la chaise grincèrent sur les carreaux. Elle gratta une allumette, tourna le bouton du four, approcha la flamme des brûleurs. Le four se mit à ronfler. Elle tira une chaise.

— Viens t'asseoir là, le temps que tu sèches, ou tu vas encore attraper la mort !

Docile, Victoire obéit. Elle s'assit à califourchon, le dos tourné vers le four. Il s'en dégageait une agréable chaleur. Tous ces mouvements dérangèrent sans doute le chaton. Le panier bougea. Une patte blanche, ombrée de gris, s'éleva toute droite, s'étira. Au bout des bourrelets cinq griffes apparurent crochetées et acérées. La première patte se replia mollement comme un ruban lâché. Suivant le même processus, la deuxième pointa. Au-dessus du panier, tel un cœur usé qui aurait des ratés, le réveil emplissait de son bruit chaotique la cuisine silencieuse.

A côté de Victoire, Rose faisait chauffer du lait. Elle allait et venait, faisant glisser ses pantoufles en un bruit de caresse.

Quelques minutes plus tard, Rose éteignit le gaz. Elle remplit un bol de lait dans lequel, auparavant, elle avait fait glisser deux coulées de miel.

— Tiens ma colombe, avale donc ça, que ça te réchauffera.

Victoire prit le bol tout chaud entre ses mains. A petites gorgées, elle but le liquide brûlant. Elle avait fermé les yeux. Quand elle les rouvrit Rose s'était à nouveau assise. Mais cette fois devant une bassine de haricots verts cueillis le matin même par Quentin.

Le dos tout chaud, les cheveux séchés, Victoire se leva. Elle ramena la chaise devant la table, s'installa près de Rose pour l'aider à trier.

Dans le silence elles se taisaient, complices des mêmes souvenirs. De temps à autre, la pluie heurtait les carreaux, comme le passé venant frapper à leur mémoire.

XX

Victoire ne tenait plus en place. Pour tromper son impatience, dès le petit matin, elle était partie faire un tour à bicyclette. Elle avait emprunté le chemin sinueux et tranquille qui longe la route.

Cheveux en vent, elle s'était laissée aller en roue libre. Après quelques tournants elle avait stoppé net : hors des limites de la propriété, elle s'était sentie encore plus mal à l'aise.

Sur le chemin du retour elle avait terminé à pied. Le soleil s'était levé, étalant son ombre loin devant elle. Elle s'était arrêtée le temps d'écouter quelques notes perdues dans l'air, de retenir une image belle mais furtive, de glaner çà et là les frémissements d'un matin d'été.

Revenue à la Musardière, alors que le soleil montait à l'horizon, elle avait tourné et retourné dans le jardin comme un animal en cage. Marthe avait dit : « Dans la matinée » sans plus de précision.

Dans le pré aux vaches, appesanti de soleil, où pas une ombre ne bougeait, Victoire caressait le petit veau de Blanchette. Il était tout blanc lui-même, avec un gros mufle humide. Entre ses deux oreilles duveteuses s'élevait une houppette. Les yeux ourlés de cils sombres la regardaient avec bienveillance. A côté la vache ruminait, attentive à son petit.

C'était bientôt l'heure du déjeuner et toujours rien. Cette attente devenait une torture. Assise sur l'herbe sèche, à travers la futaie de peupliers, elle regardait les voitures passer.

Elle suivit une voiture blanche qui montait les lacets au ralenti. Son cœur battit. Sur son toit tournait une lumière bleue... Elle se mit debout. Sa grand-mère était là, sa grand-mère était enfin de retour ! Dans un premier élan, elle courut sous le regard indifférent du veau. Au milieu du pré elle s'arrêta net : il ne fallait pas qu'elle se précipitât, elle se l'était promis. Elle ne voulait pas être présente quand sa grand-mère reviendrait. L'ambulance, les infirmières, ne devaient pas faire partie de leur univers. Elles n'étaient qu'un intermédiaire, un malentendu, et devaient le rester. Marthe était là pour accueillir sa sœur. Rose avait préparé la chambre en sortant les plus beaux draps, en faisant cueillir par Quentin les plus belles fleurs du jardin. Elle n'avait pas besoin de se presser. Pourtant, plus elle attendait, plus son cœur se serrait. « Et si tante Marthe avait volontairement minimisé la gravité de la maladie ? Si grand-mère était vraiment malade, si elle allait mourir ? »

Quand l'ambulance repassa devant le portail, elle n'en put plus de ne pas savoir, de ne pas voir. Elle se mit à courir. Elle traversa la terrasse. Vola dans l'entrée. Trois par trois, elle monta les marches de l'escalier. Tout essouflée elle arriva devant la porte de la chambre de la malade. Elle frappa, tendit l'oreille. Frappa à nouveau : personne. Anxieuse, elle redescendit l'escalier aussi vite qu'elle l'avait monté. Dans le vestibule sa tante l'attendait.

— Ma chérie, je partais justement te chercher.

En arrêt sur la dernière marche, Victoire restait là ne sachant que penser.

— Viens, il y a une surprise pour toi.

Sa tante lui tendit une main secourable. Elle se laissa mener jusqu'au salon. Au pas de la porte un sourire l'illumina :

— Grand-mère !

Tout émue elle s'élança vers la vieille dame. Elle était assise sur sa bergère, habillée de sa robe bleu marine, impeccablement coiffée.

— Eh bien, ma petite-fille, ne me regarde pas comme si j'étais un phénomène ! Viens m'embrasser. Assieds-toi à côté de moi. C'est si bon de se retrouver chez soi, entourée de ceux qu'on aime.

132

Ne quittant pas sa grand-mère des yeux Victoire restait abasourdie : elle était là, bien là. Là-haut ils ne l'avaient pas eue. Encore un peu de répit. Merci mon Dieu.

Victoire s'était assise sur le tabouret recouvert de tapisserie. Elle restait attentive, comme lorsque sa grand-mère lui racontait autrefois de terrifiantes histoires de loups. « Encore, réclamait Chris, encore ! ». Chaque fois qu'un loup allait dévorer un petit enfant, il sautait de joie. Elle, les yeux à demi cachés derrière ses mains, se protégeait des images qui l'assaillaient. Elle avait peur des loups. Aujourd'hui c'était la mort qui l'effrayait. Elle avait passé si près.

Assise près de la fenêtre Marthe avait repris ses travaux de couture. De temps à autre, elle levait les yeux de son ouvrage. Dans son regard bleu passait un sourire. Debout dans ses pantoufles, Rose couvait Madame des yeux.

Dans le salon ouvert sur le jardin, les habitudes reprenaient leurs droits. C'était comme si la maison, prise elle-même de torpeur, avait été habitée par des automates bien réglés. L'âme revenue, s'animait la vie.

La maîtresse de la Musardière, assise droit dans sa bergère, se taisait. Elle réfléchissait. D'un ton grave elle finit par dire :

— Tu vois, ma petite-fille, il a fallu que je quitte la Musardière une semaine, ce qui ne m'était pas arrivé depuis la mort de ton grand-père, pour m'apercevoir à quel point je suis attachée à ma maison, à mes meubles, à mes bibelots. En même temps, vois-tu, je m'aperçois que bien des choses qui m'entourent, font partie de mon univers sans que je leur prête vraiment attention. Par exemple ce tableau qui est juste en face de nous : je l'ai toujours vu là, à cette même place depuis que je suis enfant. L'ai-je seulement regardé une fois ? Tu sais, toi, Marthe ? demanda-t-elle en se tournant vers sa sœur.

Marthe posa son ouvrage sur ses genoux. Au-dessus de ses lunettes, elle plissa les yeux pour mieux voir. Elle se concentra.

— Non... maintenant que tu m'en parles, je me souviens comme toi l'avoir toujours vu accroché sur ce pan de mur, mais te dire ce qu'il représente et d'où il vient...

Rose intervint :

— Moi je sais. Je l'époussette tous les jours. C'est un cadeau que monsieur le Grand a fait à madame Mère.

— Eh bien, tu vois, ma bonne Rose, dit Agathe Rivoix, c'est encore toi qui es dans le vrai !

Elle ajouta d'un ton affectueux : « Que ferais-je sans toi ? » Suivit un silence.

— Grand-mère, comment vous sentez-vous ? Ne devriez-vous pas vous reposer ?

— Bah ! ma petite-fille, c'est bon pour ton âge d'écouter les médecins. Mais au mien ! Ce n'est certes pas mon bon ami le docteur Vignon qui m'aurait expédiée dans cette prison aseptisée, sans raison.

— Sans raison, sans raison ! bougonna Rose.

— Dis-moi Rose, si tu t'occupais plutôt de ton déjeuner, dit madame Rivoix avec autorité. Un sourire dansa dans ses prunelles.

Rose s'éloigna, mécontente.

Quelques minutes passèrent. Chacune méditait dans la tiédeur du salon. Entre deux chants d'oiseaux la pendule marquait sèchement les secondes.

Il y avait dans la vie de ces moments fugaces, comme tendus sur un fil, qu'un geste, une parole, pouvaient faire basculer dans la banalité. Un de ces moments précieux où les pensées vibrent à l'unisson. Moments quelquefois plus brefs que l'éclair. Mais ressentis avec une telle intensité qu'ils préfiguraient ce que pourrait être le bonheur. Les trois occupantes avaient aspiré une de ces bouffées qui, un bref instant, leur donna l'impression d'avoir affleuré le ciel.

Rose ne s'était pas éloignée bien longtemps. Préoccupée uniquement de ce qui se passait ici-bas, elle glissa sa tête de chat par l'entrebâillement de la porte.

— C'est servi ! dit-elle.

Rose avait omis le « Madame » de rigueur. Ostensiblement elle s'était adressée à la sœur de la maîtresse de maison.

Agathe Rivoix, feignant de ne rien remarquer, posa ses lunettes sur le guéridon :

— Très bien, Rose, nous arrivons !

— Je n'ai mis que deux couverts. J'ai préparé un plateau pour Madame.

La vieille fille, enroulée dans son tablier à carreaux, attendait sur le pas de la porte, l'air revêche.

Décidée à ne pas se laisser faire, Agathe Rivoix se leva de son fauteuil. Elle prit le parti de la douceur.

— Rose, ma bonne Rose, cesse de me choyer comme une enfant. Rajoute un couvert, ta cuisine m'a beaucoup manqué. Je me faisais une fête d'être avec vous à table. Je te promets qu'après le déjeuner, je monterai dans ma chambre me reposer.

Sur la cheminée du salon, la pendule sonna sèchement quatre coups. Victoire ouvrit un œil. Ne s'étonna pas que tout fût sombre autour d'elle. Elle bougea sur son fauteuil, referma les yeux. Elle se replongea dans une agréable torpeur. Sans chercher à savoir si elle avait dormi dix minutes ou des heures. La tête encore pleine de rêves absurdes, elle se laissait voguer dans cet univers trouble.

A demi consciente, elle écoutait les quelques notes de piano jouées tout près d'elle. « Tante Marthe s'est mise au piano » se dit-elle sans penser. Elle se mit à fredonner le refrain que le piano reprenait de plus en plus fort, avec de plus en plus d'insistance.

Entraînée par la musique, elle chantonnait lorsque, d'un coup, elle comprit. Elle se leva de son fauteuil, se retourna. Quelque part dans la pénombre deux voix placées trop haut et chevrotantes entonnèrent le refrain : « Joyeux anniversaire... »

Sa grand-mère approcha la table roulante. Sur un gâteau 17 bougies vacillaient de leur flamme blanche.

Sortant de son engourdissement, Victoire aspira profondément. D'un souffle elle éteignit toutes les têtes allumées. Dans un même élan d'affection, les deux vieilles dames entourèrent la jeune fille. Marthe alla tirer les rideaux. Sous la lumière revenue, on l'applaudit, on l'embrassa, on la pressa.

— Ouvre les paquets, regarde tes cadeaux !

Victoire souleva deux petits paquets joliment emballés de

papier de Noël. Elle hésita, ouvrit d'abord le plus plat : quelque chose de froid, de métallique coula dans sa main. Elle ne comprit pas tout de suite, marqua un temps : c'était la montre en or qu'elle avait portée l'autre soir. Rouge de confusion, elle se précipita vers sa grand-mère pour l'embrasser. Elle souleva le deuxième cadeau. Sous le papier, c'était carré et dur : elle ne devina pas. Alors, sous l'œil attendri des deux sœurs, elle découvrit l'écrin en velours noir : à l'intérieur attendait la perle en forme de goutte d'eau.

Ébahie, Victoire promena son regard d'une main à l'autre. Dans l'une était posée la montre, dans l'autre le pendentif.

— Tu n'es pas déçue, au moins ? questionna timidement Marthe.

— Mais c'est trop beau, beaucoup trop beau, balbutiait Victoire.

Elle se jeta au cou de sa grand-tante pour la remercier.

Dans le salon l'émotion montait. Volant au secours de sa sœur Agathe bouscula sa petite-fille.

— Allez, maintenant, passons aux choses sérieuses. Pendant que je découpe le gâteau, va chercher Rose. Tu la connais, elle a tenu absolument à te faire des crêpes.

De fait, dans la cuisine flottait une bonne odeur de pâte chaude. Une louche dans une main, la poêle dans l'autre, Rose s'affairait à ses fourneaux.

Une bouffée de tendresse envahit Victoire. A cet instant lui revint en mémoire la chanson inventée par Chris, dont le refrain était : « Rose chignon, Rose jargon, Rose bougon ! » Suivait toute une litanie qu'il changeait au gré de son humeur. S'il se sentait bucolique, il terminait par « Rose bouton ». Si l'humeur était à la vengeance, il menaçait et c'était « Rose bâton ». Mais l'injure suprême restait « Rose pas bon ! »

Rose se baissa vers son four pour rajouter sur la pile des autres les deux dernières crêpes. Victoire s'approcha.

— Ah, tu es là ! Pour ta peine tu porteras l'assiette de crêpes. Je te suis avec les confitures.

Victoire s'approcha. Elle trempa un doigt dans les confitures tiédies au bain-marie. Rose donna un coup de torchon à la gourmande qui s'esquiva.

— Je te remercie, Rose, de m'avoir fait mes desserts préférés.

— C'est pas moi qui y ai pensé, c'est ta grand-mère...

— Je sais, grand-mère me l'a dit ! répondit Victoire avec malice.

Elle chanta en elle-même : « Rose chignon, Rose jargon, Rose bougon ! »

Prise à son propre piège, Rose envoya un regard en coin. Victoire lui fit aussitôt un sourire angélique. Elle esquissa trois pas de danse sur le carrelage et alla donner un baiser à la boule grise qui ronronnait de béatitude dans son panier.

Rose en profita pour aller à l'office. Elle revint avec un paquet mou qu'elle serra contre sa poitrine. Elle glissa sur ses pantoufles jusqu'à la « petite » :

— C'est pour toi, dit-elle.

— Oh ! merci Rose.

C'était un châle blanc, tricoté au point mousse. Cette fois-ci Victoire eut du mal à retenir les larmes qui perlaient derrière ses cils. Elle alla embrasser Rose chignon qui la houspilla :

— Allez, petite bête, aide-moi donc plutôt à porter tout ça avant que ça refroidisse.

XXI

Cela faisait déjà trois semaines que la maîtresse de la Musardière avait eu son accident qu'elle refusait d'appeler « cardiaque ».

« Une petite usure de la vie, rien de plus ma bonne Rose », disait-elle à sa confidente, qui elle, au contraire, aimait bien appeler un chat, un chat.

« Madame fait de la poésie sur son cas ! Mais moi je sais bien à quoi m'en tenir ! »

Déjà le 15 août était passé avec sa ronde de mauvais temps. Les jours couraient. Les journées n'étaient plus assez longues. Victoire, voyant l'hiver venir, cherchait à faire des provisions de couleurs, de parfums.

Un rayon de soleil était posé sur le rebord de la table. Comme un oiseau peureux, il s'en alla. Revint indécis. « Ah non ! cette belle journée n'allait pas déjà se gâter ! » Elle se précipita à la fenêtre. Autour du soleil, trois petits nuages farceurs menaient la danse. Rassurée, elle résolut d'aller dans le saint des saints cueillir un fruit.

Par un chemin dérobé, en quelques enjambées Victoire se retrouva dans le pays enchanteur. Pays d'Adam et Ève rempli de senteurs où il suffisait de tendre la main pour se gaver.

A mesure qu'elle avançait, s'appesantissait l'odeur musquée de fruit chaud gorgé de soleil. Dans un tapage assourdissant, ivres, les oiseaux chantaient l'abondance. S'élevait, dans les basses, le bourdonnement des abeilles. Agglutinées sur le même fruit, elles dépeçaient la chair, suçaient le suc.

C'était un monde grouillant, pas toujours visible, plein de bruits et de parfums. Un monde que les enfants, autrefois, parcouraient avec ravissement, l'imagination en feu. Quelquefois leur gourmandise, un peu précipitée, les amenait à cueillir un fruit pas assez mûr. Quelquefois aussi, il leur était arrivé de se faire piquer par une guêpe. C'était alors la course vers la maison. Ils allaient se faire soigner par Rose. L'œil soupçonneux elle palpait les doigts poisseux. « Ah ces drôles, ils ne se tiendront jamais tranquilles ! »

Le verger, comme le potager, était interdit aux enfants, sauf quand leur grand-mère, munie d'un panier et d'un sécateur, les accompagnait pour remplir sa coupe de fruits. Mais le fruit de table n'avait jamais le goût du fruit défendu.

Victoire cueillit une pêche joufflue. Pour mieux en apprécier le goût, elle ferma les yeux. Derrière ses paupières le soleil brûlait. Elle goûta ce fruit comme une saveur d'enfance. Le noyau jeté, elle s'étira, cligna les yeux pour regarder passer une volée de moineaux. Redescendant sur terre, elle aperçut le bassin derrière les groseilliers.

Elle s'assit au bord. Penchée au-dessus de l'onde, à sa mémoire revenaient les mots magiques.

— Abracadabra, abracadabra, eau du diable réveille-toi. Satan aux doigts griffus, à la queue fourchue, à la tête cornue, montre-toi !

Elle sourit : combien de fois, avec ses airs de grand sorcier, Chris avait-il formulé son « abracadabra » ? Il prenait des airs, faisait des mines propres à apeurer la fillette qu'elle était. Quand, du fond de la vase, remontaient quelques têtards, ou que le vent faisait frémir l'onde, il disait : « Regarde, regarde, ça bouge ! Il est là, il est là ! »

A son âge on ne croit plus guère à ces enfantillages, pourtant une fois encore, Victoire récita le souffle court :

— Abracadabra, abracadabra, eau du diable réveille-toi.

Les yeux mi-clos, elle attendit. Elle pencha son visage plus près de l'onde. Une mèche de cheveux s'échappa. Le bout flotta. L'eau se rida... Mais rien ne se passa.

Songeuse, elle se demandait quels seraient leurs jeux aujourd'hui. Aimerait-elle Chris toujours autant ? Et lui ? Elle pensa à Jacqueline. Maintenant qu'elle avait grandi, Chris la regarderait-il enfin ?

Victoire se redressa. Il lui semblait avoir entendu un craquement de brindille. Elle tendit l'oreille, n'entendit plus rien que le silence bruyant de la campagne. Elle se rasséréna : qui donc, à part le chien, viendrait en ce coin reculé du jardin ?

— Bonjour... je ne vous dérange pas ?

Elle fit volte-face : lui !

— Que faites-vous ici ? questionna-t-elle d'un ton peu amène.

François ne répondit pas.

Tout à l'heure, il l'avait vue se pencher au-dessus de l'onde telle une sirène. Dans cet instant d'abandon, il avait découvert tant de féminité, tant de tendresse. Et puis maintenant ce regard noir.

Il lui semblait que c'était la première fois qu'il la voyait aussi jolie. Son visage de Madone était encadré de mèches folles qui lui donnaient un air de sauvageonne. C'était ce contraste qu'il aimait en elle. Au début, elle l'avait amusé ou intrigué, comme une petite fille dont on suit les caprices. Maintenant elle l'émouvait. Il aurait voulu le lui dire.

Mais Victoire, comme un chat échaudé, gardait toutes ses griffes dehors. Elle en voulait au garçon d'être venu troubler ses pensées les plus secrètes ; d'être venu ici voler des images qui n'appartenaient qu'à elle, d'avoir violé une intimité, un secret qu'elle seule connaissait. François n'avait pas sa place dans ce jardin où un autre l'attendait. Ce lieu enchanteur, ventre de la Musardière, était un sanctuaire, un asile sacré, une terre meuble où fleurissaient ses souvenirs.

Debout près de la haie, François n'avait pas bougé. Bouleversé, il observait la jeune fille. Il avait un air sérieux qui étonna Victoire. Mais, pressée de l'emmener ailleurs, elle lui fit signe de la suivre.

Tout le long du sentier qui rejoignait la grande allée, elle fut troublée d'entendre ses pas d'homme.

« Si seulement c'étaient ceux de Chris, tout aurait été si simple » se disait-elle, et son cœur se serra.

Ils arrivèrent en contrebas de la terrasse. Là-bas sous le tilleul on apercevait deux têtes chapeautées de paille. Sur la table en pierre était posé un plateau pour le goûter.

Agathe Rivoix sourit :

— Vous avez fini par la trouver ? dit-elle à François.

Marthe s'était levée pour offrir deux tasses de thé aux arrivants.

— Si vous permettez, je vais d'abord aller me laver les mains, dit Victoire.

Et comme pour se justifier elle montra ses paumes ouvertes.

Dans sa chambre, elle s'affala sur son lit. Elle n'arrivait plus à mettre de l'ordre dans ses idées. Tout était si embrouillé. Dans un mouvement d'exaspération contre elle-même, elle passa à la salle de bains. Quelques secondes plus tard elle redescendait.

Sous le tilleul, les deux vieilles dames conversaient avec leur visiteur. Victoire prit une tasse de thé, grignota un sablé. A travers les feuillages s'étiolaient les reflets de la fin de journée. Le regard accroché à une branche, elle prêtait une oreille distraite à ce qui se disait.

Agathe Rivoix s'informait de la santé de la mère de François qu'elle avait connue autrefois. Tandis que Marthe, entre deux petits sablés, s'exclamait : « Ah oui ?... Ah non !... Mais quand ça ? » ce qui relançait la conversation à chaque fois.

François répondait de bonne grâce aux questions. De temps à autre, il regardait Victoire. Elle paraissait toujours si absorbée... Même quand elle parlait, il sentait que c'était encore un effort qu'elle faisait. Quand elle marchait, on eût dit que ses pieds ne touchaient pas le sol. Son regard traversait les gens pour aller se poser bien au-delà d'eux. Elle était aérienne, mystérieuse. Tout chez elle l'étonnait. Lui le séducteur était pris au piège.

Au village il avait entendu parler des jumeaux. Un cousin ? Mais rien n'était bien clair pour lui. Ce mystère qui entourait Victoire la rendait encore plus précieuse à ses yeux. Il aurait voulu lui dire... mais lui dire quoi ? Elle se dressait comme une forteresse qui cacherait sa superbe sous des ronces. Il allait repartir pour Paris, il serait trop tard. Peut-être que tout à l'heure ?

Depuis quelques jours, malgré le beau temps revenu, septembre s'annonçait. Le soleil parti, il faisait presque frais. Septembre... Victoire fut parcourue d'un frisson. Agathe Rivoix s'en aperçut.

— Ma petite-fille, c'est l'heure où on attrape froid, va nous chercher quelques châles que tu trouveras dans le placard sous l'escalier.

François se leva.

— Non, Madame, c'est moi qui me suis trop attardé.

Il prit congé de ses hôtesses. Dans un rapide mouvement de repli les deux vieilles dames se dirigèrent vers la maison.

Victoire et François restèrent seuls. Il lui expliqua qu'il rentrait à Paris le lendemain matin. Il lui parla un peu de sa vie là-bas, de son métier de journaliste. L'avait-elle seulement écouté ? Jusqu'à la dernière minute il avait espéré qu'elle le raccompagnerait au bout du chemin. Au lieu de cela, après lui avoir dit au revoir, elle s'appuya le dos contre l'écorce du tilleul ; le regard perdu, inaccessible.

La mort dans l'âme il partit.

Victoire le suivit du regard. « Il marche comme un félin » pensa-t-elle.

Dans la conversation il avait expliqué qu'il comptait revenir l'été prochain dans sa maison de l'impasse des Dames Blanches. Il lui semblait que cette phrase avait été dite à son intention. L'été prochain ? Son esprit vagabondait.

En bas de l'allée, elle entendit sonner la cloche du portillon. Sans savoir pourquoi elle se sentit soudain abattue. Elle devrait rentrer. Il allait faire nuit. Elle remarqua alors que les fenêtres de sa chambre étaient restées ouvertes sur le soleil couchant.

XXII

— Ils sont tout chauds... J'ai fait des trous dans le carton...
Si vous avez le temps dans le train... donnez-leur un peu d'air...
Ils seront plus croustillants.

Accrochée à la portière, Rose faisait des recommandations
jusqu'à ce que la voiture prenne de la vitesse. Tout essouflée
elle était restée en haut de la grande allée. Quand la voiture franchit le portail, elle gesticulait encore dans son tablier à carreaux.

Croyant qu'il se passait quelque chose, le museau pointé vers
Rose, Pataud aboyait.

Par la lunette arrière Marthe avait fait un signe de la main.
Maintenant, sous son chapeau à voilette, elle souriait, émue.
« Cette bonne Rose, heureusement qu'elle était là pour pren-
dre soin de sa sœur. Elle était l'ange gardien de la Musardière.
Un ange un peu tyrannique, bien sûr. » Elle se promit de télé-
phoner plus souvent cet hiver.

Accroché à son volant, Quentin était encore plus prudent
qu'à l'ordinaire.

— C'est qu'avec cette pluie, vous comprenez... s'était-il
excusé.

— Bien sûr, bien sûr, avait répondu Agathe Rivoix. Pre-
nez votre temps, nous avons prévu large.

Marthe et Victoire avaient évité de se regarder pour ne pas
pouffer de rire.

Bien qu'au fond de soi, chacune fût triste, dans la voiture
l'atmosphère était plutôt gaie. Marthe avait une telle horreur

des départs qu'elle choisissait toujours de s'en aller la première : « Il vaut mieux être regrettée que de regretter ! » avait-elle l'habitude de dire.

Dans leur cage posée sur le siège avant, les perruches hurlaient. A chaque tournant, affolées, elles tentaient de voler. Elles se cognaient les ailes aux barreaux. Marthe serrait contre elle la boîte à gâteaux que Rose lui avait glissée par la fenêtre au moment du départ. Pour la première fois, elle ne se sentait pas tranquille en quittant Charmille. Son départ lui laissait comme un arrière-goût. Sa sœur allait bien, du moins l'affirmait-elle ! Qui saurait jamais ce qui se cachait derrière cette âme orgueilleuse ?

Déjà tout enfants les deux sœurs se différenciaient par leur caractère. Plus prompte en tout, Marthe riait et pleurait aussi facilement que le ciel changeait de couleur. Agathe, plus secrète, plus sensible aussi peut-être, avait très tôt appris à cacher ses sentiments. On disait volontiers que la petite Marthe avait un sens inné du bonheur. On disait qu'Agathe saurait mieux se défendre dans la vie. Mais on disait tant de choses ! Chacune avait eu son compte de soucis, son compte de chagrins. Qu'appelait-on bonheur ?

Beaucoup de monde se bousculait sur le quai de la gare.

D'un premier train était descendu un jeune curé. De figure avenante, il avait fière allure dans sa soutane. Comme il cherchait son chemin, Agathe Rivoix lui porta secours. Il était le nouveau curé de Charmille. La maîtresse de la Musardière en profita pour se présenter. Elle lui dit que sa maison lui était ouverte. Après des remerciements chaleureux, il était reparti plein d'entrain avec sa valise et ses grands pas de jeune homme.

— Eh bien, voilà tes soirées d'hiver agréablement remplies, glissa Marthe à l'oreille de sa sœur.

Agathe se contenta de lever les yeux au ciel : Sa sœur ne changerait donc jamais ! Elle ne pouvait pas s'empêcher de rire de tout, même des choses sérieuses.

Enfin le train attendu entra en gare. Chargé de la valise,

de la cage à oiseaux et du carton à chapeaux, Quentin essayait de se frayer un chemin parmi les voyageurs.

Un pied sur la première marche Marthe embrassa sa sœur et sa nièce.

— Ma chérie, si tu venais passer Noël à Paris, j'aurais tant de choses à te montrer... Ne me réponds pas tout de suite. Réfléchis.

Le wagon s'était ébranlé. Une dernière fois Marthe avait agité sa main gantée. Et le train était parti.

Le cœur serré Victoire remonta en voiture. Si la pluie avait cessé, la route de retour n'était pas plus gaie pour autant. Les vacances se terminaient. Tout le rappelait : le temps maussade, une foule inhabituelle dans la gare si tranquille hors saison, le départ de sa grand-tante.

Dès ce moment les vacances à la Musardière s'émiettaient. Il ne restait plus aux cousins qu'à compter les heures qui leur restaient.

Dans la voiture, Agathe Rivoix parlait à Quentin : « Il faudra au printemps prochain replanter quelques abricotiers et dès l'automne faire venir un maçon pour réparer le muret. » Elle faisait des projets pour l'avenir, et son teint se colorait.

De toute évidence, il y aurait encore beaucoup d'étés à passer à la Musardière ! Victoire ne demandait qu'à le croire. Par la fenêtre, elle regardait les nuages. Ils se chassaient, se pourchassaient, mêlaient leur gris sous le vent. Cette nuit elle avait entendu les arbres gémir. Un chien hurlait à la mort. Que voulaient-ils lui dire ?

À midi le déjeuner se passa frileusement. Dans la salle à manger le lustre éclairé avait chassé la lumière du jour aux tons pâlis. Ni le bon déjeuner préparé par Rose, ni la conversation de sa grand-mère n'avaient réussi à lui enlever ce vague à l'âme qui l'avait saisie.

Après le café servi au salon, Victoire resta un moment à rêvasser au coin du feu. Rose, sentant la place vacante, tournait en rond. Sous divers prétextes elle avait fini par rester au salon. D'un mot à l'autre, d'une phrase à l'autre, la conversation s'était engagée. Petit à petit les deux femmes avaient repris leur menu bavardage des saisons longues. Celles où la nuit prend le pas sur le jour.

Le regard rivé aux flammes, si vivantes dans cette morne journée, Victoire écoutait d'une oreille distraite. Un moment elle se leva, regarda par la fenêtre. Si les arbres n'étaient pas si verts on aurait pu se croire en hiver. Pourquoi se sentait-elle si angoissée ? Maintenant qu'elle avait retrouvé le chemin de la Musardière et fait la paix avec Chris, elle reviendrait chaque été.

— Grand-mère, je vais faire un tour, il ne pleut plus, dit-elle.

— Tu as raison, ma petite-fille, va vite, ça te sortira un peu.

Quelques minutes plus tard Victoire descendait les marches du perron. Elle s'était munie de bottes en caoutchouc, d'une veste de chasse et du feutre cabossé que Chris aimait revêtir les jours de pluie. Des gouttes tombaient lourdes des arbres. Au tournant, elle rencontra Pataud. Il aboya.

— Pataud ! Pataud, c'est moi !

Reconnaissant la voix mais pas la silhouette, inquiet, le chien continuait à aboyer. Elle enleva son feutre. Coula, lumineux, un flot de cheveux blonds.

— Tu me reconnais cette fois, idiot ?

Tout gêné, il se coucha sur le dos en signe de paix.

Elle s'accroupit pour le caresser. Il renifla le feutre, poussa un gémissement. Hésitante, une nouvelle fois, elle avança son chapeau. Les oreilles basses, la queue entre les pattes, il se mit à gémir.

— Alors toi aussi tu te souviens de lui ? chuchota-t-elle.

Elle enfouit son visage dans le pelage.

— Allez, viens, je t'emmène, comme ça tu me donneras du courage, dit-elle en se redressant. Bonjour Quentin !

— Ah bonjour, Mademoiselle Victoire.

Quentin leva le nez au ciel : « Il faut s'attendre encore à quelques ondées. »

— Je profite justement de ce qu'il ne pleut plus pour aller me promener. Je peux emmener Pataud avec moi ?

— Bien sûr, Mademoiselle Victoire.

Elle fit un geste amical à l'adresse de l'homme. Après avoir craché dans ses mains, il se remit à piocher.

148

Pour aller plus vite Victoire coupa à travers champs. Le feutre enfoncé jusqu'aux yeux, elle marchait parmi les herbes mouillées. A ses côtés gambadait Pataud. De temps à autre, il s'arrêtait pour faire la conversation avec quelques chiens de ferme. Juste avant d'arriver aux premières maisons qui s'étendent autour du village, elle bifurqua sur sa droite. Ce raccourci peu usité lui éviterait de rencontrer des habitants de Charmille. Personne n'avait besoin de savoir où elle allait. Elle avait appris à se méfier : pour exorciser leur propre peine, les gens aiment se repaître de la douleur des autres. Elle ne voulait pas prêter le flanc aux commérages du genre : « La petite-fille de madame Rivoix, je l'ai rencontrée vous savez où ? Pauvre petite ! »

Le chemin de terre était truffé de trous remplis d'eau boueuse. Pour les éviter elle sautait, alors que, déjà crotté jusqu'au ventre, son compagnon s'amusait à patauger dans les flaques. Un moment Victoire s'arrêta pour regarder le ciel. Bas et sombre il rejoignait la terre. Soudain un nuage se déchira. D'un coup le ciel déversa son trop-plein de lumière. Le faisceau balaya le paysage. Ourlée de vert sombre, la campagne ondulait sous l'affleurement.

Maintenant les nuages s'étaient refondus. Plus aucune trouée n'était à espérer. A l'affût Pataud tournait autour de sa maîtresse.

— Tu as raison, on y va ! dit-elle.

A un croisement elle prit un chemin plus étroit, bordé d'arbres noueux. Elle longea un mur, atteignit une grille rouillée. Dessus quelques oiseaux faisaient sécher leurs plumes. Elle se faufila, attendit. Tout était sérénité dans ce lieu tranquille et fleuri. Quelques oiseaux se répondaient : « Serait-ce déjà un coin de paradis ? » se demanda-t-elle.

Ne voyant personne, Victoire se décida à aller plus avant. Le cœur prêt à sombrer, elle prit la deuxième allée, compta six tombes et s'arrêta devant la septième. Les yeux fermés, la tête baissée sous son feutre, elle attendit l'âme près du gouffre. De tout l'été, elle n'avait pu se résoudre à se rendre dans cet endroit reculé qui marquait les limites de notre monde. Cet endroit où les corps reposaient mangés par la vermine. On disait qu'ici certaines âmes erraient la nuit à la recherche de leur identité.

Ce cimetière était la dernière demeure de Chris. Elle avait vu un cercueil, soutenu par des cordes, s'enfoncer dans un trou étroit et noir. Dessous il faisait toujours nuit, toujours froid. Elle ne pouvait s'imaginer que Chris pût rester prisonnier de cette boîte. Qu'il fût sous cette dalle. Elle ne pouvait imaginer que sa mèche châtain bordée de blond fût partie en poussière. Que sous ses paupières ses yeux, couleur ciel d'orage, ne fussent plus qu'une cavité vide de tout regard. Que sa bouche gourmande ne fût plus qu'un morceau de chair rongé jusqu'à l'os.

Elle regarda autour d'elle. Décidément ce lieu inanimé, cette pierre froide, ces lettres gravées, impersonnelles comme une carte de visite, ne lui étaient rien.

Ce n'était pas là que se trouvait son cousin.

— Allez viens, Pataud, on retourne à la maison, annonça-t-elle.

Derrière elle se referma le portail. Le grincement chassa les oiseaux qui, un instant, l'accompagnèrent de leur vol silencieux.

Sous les arbres noueux, tordus de vieillesse, s'enfonça la silhouette fragile, coiffée d'un chapeau sans forme et d'une ample veste de chasse. Suivait un chien qui l'observait de son regard mordoré.

Au bout du chemin Victoire s'arrêta, éclata de rire. En se rendant ici elle avait eu peur d'enterrer son jumeau à tout jamais. Mais, dans une ultime pirouette, Chris n'était pas au rendez-vous. Le connaissant elle aurait dû s'en douter. Elle aurait dû savoir que ce lieu était fait pour les morts. Pas pour lui.

Devant elle, elle ramassa une feuille qui se laissait ballotter au vent. C'était sa première feuille d'automne. En rentrant elle la glisserait entre les pages d'un livre. Et quand cet hiver, par hasard, elle la retrouverait, elle la humerait en fermant les yeux. En une bouffée tout son paradis lui reviendrait en mémoire.

Sur le paysage détrempé il se remit à pleuvoir. Victoire pressa le pas. Elle avait hâte maintenant de rentrer à la Musardière. Là-bas Chris l'attendait.

XXIII

Au bord de la rivière deux enfants sont assis.

Les pieds dans l'eau, les mains posées à plat sur l'herbe qui à la longue marquera leur paume de son sceau, les cousins regardent le soleil. Un feuillage épais joue avec le vent.

C'est un bel après-midi d'été comme ils en ont tant connus, tant goûtés, tant espérés. C'est un bel après-midi d'été comme il n'y en aura plus.

Le temps est passé où les cousins attendaient, assis tout en haut du même pré, que le cerf revienne.

Bien que grande pour ses treize ans Vic n'en reste pas moins une petite fille. Même si son visage a perdu un peu de la rondeur de l'enfance, même si deux petits seins naissants pointent sous la robe, elle garde le regard clair de l'enfance.

A ses côtés Chris s'amuse, d'un souffle, à faire voler sa mèche. Elle tombe toujours aussi raide sur ses sourcils. Il va au galop sur ses seize ans. Sa stature est déjà celle d'un homme. Il est grand, ses épaules sont larges. Mais sur ses jambes, longues et racées, ses chaussettes tirebouchonnent toujours. Elles tombent sur ses chevilles. Depuis un an, chaque matin, Chris se rase. Sa voix, qui l'année dernière encore se cassait en bout de phrase, se meut tranquille dans les basses.

Vic remonte ses pieds mouillés. Elle les pose sur l'herbe chaude. Dans son dos ses cheveux blonds flottent au vent. Il souffle depuis deux jours. Sur son passage, il brûle la campagne, assoiffe les bêtes, fatigue les gens. Elle admire le profil qui n'a pas changé. Elle pense à eux. Au début de l'été ils se sont rejoints, comme toujours impatients de se retrouver, heureux de se revoir ; conscients du miracle qui se reproduit à chaque fois. Et puis...

Elle regarde son cousin. Il ne dit rien. C'est mieux ainsi. Désormais, quand il ouvre la bouche, elle a toujours peur qu'il lui annonce qu'il va faire un tour au village ; seul.

Depuis ce matin il ne dit rien. Il paraît rêver. S'il ne s'occupe pas d'elle, au moins est-il présent. C'est déjà beaucoup.

Un moment Vic détache son regard du profil pur et dur, pour regarder de l'autre côté de la rivière. Des vaches paissent à l'ombre des peupliers. Leurs cimes flexibles flottent au vent. Les ombres s'étirent sur le sol. « Il est trop tard pour que Chris pense à partir », se dit-elle.

Elle pousse un soupir. Sur le qui-vive depuis ce matin, elle se laisse enfin aller à la douceur du moment. La tête posée sur l'herbe brûlée, ses cheveux éparpillés autour comme des épis fauchés, elle sourit, enfin apaisée.

Après un long moment de silence, Chris se lève. Alors, comme si elle se piquait avec des orties, d'un bond elle se retrouve debout.

Sans la regarder il annonce :

— Je pars faire un tour au village.

— Mais...

— Je serai de retour pour le dîner.

Le ton est sans appel. Il s'en va de ses grands pas d'homme pressé. Il ne se retourne pas pour regarder sa cousine qui, en arrière, reste seule et éperdue.

Le vent soulève sa robe couleur coquelicot et la fait claquer comme un drapeau sanglant.

Au dîner le garçon arrive essoufflé. C'est juste l'heure où sa grand-mère et sa grand-tante sortent du salon, pour se rendre à la salle à manger. Il a cet air à la fois perdu et heureux qu'il affiche depuis bientôt quinze jours.

Assise dos aux fenêtres Vic ne dit mot ; sa décision est prise : demain, sur les talons de Chris, elle se rendra au village. Elle finira bien par rencontrer ce fameux Jacques ; cet ami qu'il ne veut pas lui présenter.

A table, les deux sœurs parlent du temps. Si ce vent acharné qui souffle depuis deux jours ne cesse pas à la tombée de la nuit, le dicton veut qu'il dure encore trois jours.

Au contraire du dehors, où tout chavire, derrière les fenêtres closes l'ambiance est feutrée.

Dans son tablier de service Rose passe les plats. Elle prend volontiers part à la conversation. Mais, entre deux phrases, elle remarque le regard « pauvret » de la petite et l'air dans les nuages du garçon.

Ça fait déjà quelques jours que ça dure. Elle s'en est ouvert à la sœur de Madame, qui croit-elle, est plus au fait de ces « choses ». Mais même Madame Marthe n'a pas eu l'air de comprendre : « Ne te fais pas de soucis, ma bonne Rose, je gage que bientôt tout rentrera dans l'ordre ! »

Rose n'en est pas si sûre : au village on raconte... Il faut bien se rendre à l'évidence qu'il a grandi, le petit.

La servante regarde la fillette. Elle mange du bout des lèvres. Si ça continue comme ça, elle tombera malade, c'est sûr. Elle a mal pour la petite.

Après le coucher du soleil, le vent souffle toujours. Cette nuit un volet du salon a cogné jusqu'au petit jour. Mais, rien que pour faire mentir le proverbe, ce matin le vent s'est enfui, laissant la place au beau temps.

A une heure tardive, Vic descend prendre son petit déjeuner. A la salle à manger, c'est l'heure où Rose se fâche : « Je n'ai pas que ça à faire ! » L'heure où elle menace : « Cinq minutes de plus, j'enlevais le couvert ! »

Depuis que Vic a décidé de suivre son cousin au village, elle se sent ragaillardie. Ce matin elle est prête à affronter toutes les remontrances de Rose, et même l'air bizarre de Chris.

Elle ouvre la porte de la salle à manger. Elle se prépare à sourire à Chris : personne. Les tasses sont enlevées au fur et à mesure que les convives terminent leur petit déjeuner. A la place réservée à son cousin, il n'y a plus de couvert.

Depuis tous ces étés passés chez leur grand-mère, c'est la première fois que Chris prend son petit déjeuner sans elle. C'est pourtant l'heure sacrée où ils se retrouvent la tête pleine de projets. C'est ici qu'ils échafaudent les plans les plus fous pour la journée qui commence : « Et si on faisait ci ? Et si on faisait ça ? » Pendant que Rose lève les yeux au ciel devant tant de folies.

Vic ravale ses larmes. Sa gorge est serrée, sous ses paupières les larmes brûlent ses yeux. Quitte à s'enfoncer les ongles dans la paume jusqu'au sang, personne ne saura sa peine.

Rose apparaît avec sa casserole. Sans un mot, elle verse le liquide blanchâtre dans le bol. Elle se caresse le poil follet près du menton. La vieille fille se retient de laisser peser sa main sur l'épaule de la petite qui souffre. Elle le devine, toute Rose bougon qu'elle est.

Justement ce matin elle a fait la tête à Chris quand il a pris son petit déjeuner. Elle a profité d'être seule avec le garçon pour lui dire sa façon de penser. Mais cette tête de mule la regardait sans la voir, l'écoutait sans l'entendre. Tourné vers on ne sait quelle vision intérieure.

Rapidement, Vic fait une tartine et se lève en lançant cette pauvre excuse, qui n'est pas vraiment un mensonge :

— Je pars au village rejoindre Chris. On... on a rendez-vous.

— Misère... ne peut s'empêcher de murmurer Rose tout bas.

A bicyclette Vic descend la grande allée où Pataud la suit en jappant. Sans descendre de la selle, elle se glisse de l'autre côté du portail. Elle le referme à la barbe du chien qui la regarde partir les deux pattes avant dressées contre la grille.

A mi-côte, en position de danseuse, la fillette amorce les derniers tournants. Sa robe couleur coquelicot dévoile des cuisses longues et un peu maigres. Elles n'ont pas encore pris les rondeurs de l'adolescence.

Juste avant d'atteindre l'église, elle passe sous le porche. Il donne sur le jardin qui s'étale jusqu'au presbytère. Derrière un massif d'hortensias aux boules roses, elle va cacher sa bicyclette, quand :

— Bonjour fillette...

C'est monsieur le Curé. En soutane, un genou dans la terre,

il dépose un vase avec des glaïeuls sur les tombes des premiers châtelains du pays.

— Bonjour, monsieur le Curé.

Il sourit. Il regarde avec bonté la petite fille Rivoix, si jolie dans le soleil, l'air toute perdue dans ce matin d'été.

— Monsieur le Curé, je peux laisser ma bicyclette ?

— Bien sûr, fillette, autant que tu voudras.

— Merci, monsieur le Curé !

Songeur, le vieil homme regarde l'enfant repasser le porche : « Elle est seule, pense-t-il. Depuis quelques jours des bruits courent dans le village sur le compte du garçon. Mais bah ! ici les langues vont bon train et pas toujours pour le meilleur. »

Sur la place, Vic s'efforce de marcher à pas mesurés comme si elle se promenait. Si sa tête ne bouge pas, ses yeux tournent de tous côtés : elle cherche Chris. Elle veut savoir ce qu'il fait, pourquoi il la délaisse.

Elle va se cacher dans une impasse qu'elle connaît. Là, sur un banc de pierre en retrait des autres, elle va guetter.

A l'ombre des fleurs bleues au reflet mauve, elle entend onze coups sonner, puis la demie et enfin midi. Chris n'a toujours pas paru. Vic ne bouge pas : ce sera bientôt l'heure du déjeuner à la Musardière, la faim se chargera bien de le débusquer. En effet dix minutes plus tard son cousin apparaît ; il est seul. Elle décide de revenir, et cette fois c'est elle qui le devancera.

Fidèle à son plan, en tout début d'après-midi Vic profite de ce que son cousin monte dans sa chambre pour quitter le salon. Elle part pour le village à pied et passe par le raccourci. Il fait très chaud en ce début d'après-midi d'août. C'est en sueur qu'elle regagne le banc de pierre à l'ombre de la glycine.

Sur la place, il n'y a pas âme qui vive. Seuls les pigeons se promènent. Elle attend un long moment. Enfin Chris apparaît. Le cœur chaviré la fillette se dresse. Elle attend qu'il gagne la rue de la Ferronnerie pour se précipiter à sa suite. Elle court : plus personne. Dans ce quartier sont imbriquées des courettes protégées par de hauts murs.

Elle avance. Enfin derrière un mur où se prélasse un chat

au soleil, elle reconnaît la voix de Chris. Elle n'a que le temps de se plaquer contre une porte en renfoncement. Devant elle son cousin passe, il parle à l'ami en question...

Il l'avait décrit, brun, pas très beau, mais tellement sympathique! Vic le reconnaît tout de suite : elle est blonde, pulpeuse, outrageusement maquillée. Cette créature qui se rend au bras de Chris est cette fameuse Jacqueline dont tout le village parle. Jacques, l'ami, c'était donc elle!

Chris s'éloigne avec cette femme à son bras. Il rit fort à tout ce qu'elle dit. Chris! Cachée dans son renfoncement Vic a mal, si mal dans sa tête, dans son cœur de petite fille. Son cousin se pavane au bras de la blonde et elle a honte. Elle le trouve si ridicule, et elle si vulgaire.

Ils rentrent dans un immeuble à la façade délabrée. L'entrée est sombre et étroite. Elle sent l'urine. Sur une des boîtes aux lettres est inscrit «Mademoiselle Jacqueline Garnier». Vic monte quelques marches. D'ici elle entend de nouveau le rire crispant, la voix de Chris qui s'infléchit, des paroles étouffées...

Cette fois la fillette n'en peut plus. Elle s'enfuit à toutes jambes. Elle court le long de la place. Elle court jusqu'à la Musardière. Elle remonte la grande allée, franchit le perron, grimpe les escaliers deux par deux... trois par trois... Elle court jusqu'à sa chambre, se jette sur son lit, enfouit sa tête dans ses oreillers pour tenter d'étouffer ses sanglots. C'est à cause de cette Jacqueline qu'elle ne se promène plus main dans la main avec Chris, qu'ils ne mêlent plus leurs rires, leurs rêves, leurs silences! Mais, comment devenir grande quand on n'est encore qu'une enfant? Comment ressembler à une Jacqueline quand on est une Vic? Et pourquoi, pourquoi préfère-t-il cette fille à elle, sa petite fiancée, sa jumelle? A-t-il donc tout oublié?

Pendant toute une semaine Vic cache son chagrin. Le cœur malade elle se réfugie au bord du ruisseau ou à l'orée du bois. Là où personne ne viendra la chercher, elle pleure son amour perdu.

Une fin d'après-midi, Chris revient du village plus tôt que d'habitude. La mine défaite, il prétexte un mal de tête pour ne pas descendre dîner.

Le lendemain, elle le retrouve à l'heure du petit déjeuner.

156

Il est pâle. Il a un regard buté, sombre. Elle comprend que si elle a fini de souffrir, lui commence.

Ainsi pendant des heures et des jours Chris traîne son âme en peine. Au début, il veut être seul, ne voir personne. Il finit par accepter la présence de sa cousine. Mais il a l'air si malheureux qu'elle décide de retourner à Charmille. Là, elle découvre que Jacqueline s'enferme chez elle avec un autre garçon. Il est plus âgé que Chris. Il a une voiture, de l'argent. Elle le connaît : c'est le fils du boulanger. Il ne fait que succéder à son père...

Un jour que le couple passe devant elle, bravement elle l'arrête. Levant sur eux son regard d'enfant, elle demande :

— Pourquoi vous faites ça à Chris ?

La fille aux cheveux décolorés et trop maquillée, pour toute réponse, se met à rire, d'un rire bête qui n'en finit plus. Tandis que le garçon se moque.

— Retourne donc à tes poupées, fillette, c'est de ton âge !

Et cet homme qui l'a délivrée de Jacqueline, toute sa vie elle lui en voudra : Chris vaut tellement mieux que lui ! Malgré son chagrin, elle le défend.

Petit à petit les « jumeaux » se réhabituent l'un à l'autre. Vers la fin des vacances, ils retournent à la maisonnette. Le seul endroit où ils se sentent bien.

Chris est devenu un homme. Vic reste une petite fille qui a connu son premier chagrin de femme.

XXIV

L'été finissait. Victoire partait le lendemain matin. C'étaient ses dernières heures à la Musardière. Et cette nuit elle avait un rendez-vous.

Dans sa chambre elle attendit un long moment. Enfin, assurée que tout était calme sinon endormi, elle se leva. La lumière crue de la lune guidait ses pas. Dans le couloir elle se retrouva dans le noir complet. Elle espérait ne pas avoir oublié la tactique mise au point par son cousin. Elle compta un grand pas, plus la valeur d'un pied. Elle devait se trouver à peu près au milieu du couloir. Elle se retourna d'un quart sur elle-même. Et là, tel un papillon de nuit, elle s'élança les bras déployés comme des ailes. Sa chemise de nuit volait autour d'elle.

Légère, elle sautillait d'une latte à l'autre sur ses pieds nus. Suivant une arithmétique qui lui revenait en mémoire elle comptait : « Un petit pas sur le côté, encore trois pas en avant... »

Sans qu'une seule latte n'eût grincé, elle passa devant l'escalier. Elle s'arrêta pour reprendre son souffle, puis, repartit dans sa danse solitaire : « Un pas, un pied », ouf ! elle tâtonna. Du bout des doigts elle heurta la poignée. Elle attendit que son cœur se calme, puis elle colla son oreille à la porte. Elle gardait l'espoir insensé d'entendre un frôlement, un murmure, enfin un son qui aurait prouvé que derrière la porte la vie ne s'était pas tarie. Mais rien. Malgré l'envie qu'elle eut de réveiller tout ce silence, elle se retint de frapper les trois coups : deux courts, un long ; leur signe de reconnaissance.

Dans la chambre les yeux fermés elle huma à petites bouffées. Mais elle fut déçue. Aucun parfum ne vint remuer ses souvenirs. La pièce sentait l'humidité, la naphtaline. Elle sentait le vide.

Les bras en avant elle tâtonna avec ses mains, comme elle tâtonnait avec ses émotions. Elle buta sur le lit, en effleura le dessus. Il était bleu tirant sur le gris. Elle s'assit, caressa du dos de la main l'étoffe satinée qui avait servi à tant de jeux, à tant de rêves, à tant d'évasions. Tendu entre deux fauteuils, un pan tombant de chaque côté, il servait à faire une tente, et c'était l'aventure. Ficelé aux deux bouts il devenait hamac. Le lit lui-même était bateau, radeau ou île déserte. Il était aussi leur nid. Tels des moineaux ils y enfouissaient tous les menus trésors glanés dans la campagne.

Aussi chaque fois que Rose faisait la chambre à fond, c'étaient des grands cris : « C'est plus possible, plus possible ! » hurlait-elle.

Dans le tiroir de la table de chevet, Victoire trouva une bougie qu'elle alluma. Au début, la flamme monta étirée et tremblante. Puis elle devint ventrue, d'une belle couleur ambrée. Ne craignant plus qu'elle s'éteigne, elle la promena dans la chambre. Tout était terni par l'absence. Elle ouvrit le placard. Il était vide. Sur le dernier rayon quelques couvertures étaient rangées. Elle tâtonna dans les coins, découvrit enfin quelque chose qu'elle tira fébrilement : une veste de pyjama ! Chris... Elle caressa le tissu, le huma.

Contente de sa découverte, elle alla chercher la bougie. A chaque geste précipité la flamme se couchait, comme les oreilles d'un chat apeuré. Il restait un tiroir. Elle passa la main. Dans un coin ses doigts rencontrèrent un morceau d'étoffe. Il était rèche. Avec avidité elle le plaça devant la lumière de la bougie. C'était un reste de tulle. Son voile de mariée. Deux larmes coulèrent sur ses joues creusées par les ombres.

Elle enleva sa chemise de nuit, revêtit la veste de pyjama sur sa peau nue dorée par le soleil. Dans ses cheveux elle noua le morceau de tulle. Et ainsi à demi nue, bizarrement accoutrée, elle se coucha.

Victoire ferma les yeux et attendit. Elle serra contre elle la veste de pyjama qui lui descendait jusqu'à mi-cuisse. Elle s'en caressa les épaules, les seins. Désespérément elle cherchait à retrouver l'odeur mâle de chien mouillé et de blé mûr. L'odeur de ses étés, parfum de son amour que les boules de naphtaline avaient effacé.

— Chris... Chris... appela-t-elle.

Tout autour d'elle la nuit dansait à la lueur de la flamme. Comme rien ne se passait elle se fâcha.

« Te souviens-tu que dans le village tout le monde nous appelait les jumeaux ? Moi, j'étais fière qu'on nous appelle ainsi. Toi, tu n'aimais pas : tu avais deux ans et demi de plus et tu entendais bien que chacun le remarque. Aujourd'hui j'ai dix-sept ans. Je t'ai rattrapé tu vois. Tu ne peux plus dire avec tes airs supérieurs : "Tais-toi tu es trop petite !" Et n'oublie pas que l'année prochaine je serai ton aînée ! »

Contente de sa farce Victoire enfouit son nez sous le couvre-lit : « Oh ! Chris, pourquoi faut-il encore que nous nous chamaillions ? Regarde, j'ai trouvé dans ton placard un morceau de mon voile de mariée. Je l'ai mis dans mes cheveux, en souvenir de notre promesse. Je n'ai rien oublié tu sais. »

Soudain elle se fâcha. « Sais-tu que j'ai revu la grosse Jacqueline ? Oui, tu as bien entendu. Elle est devenue énorme, monstrueuse. Ah ! j'ai bien ri quand je l'ai revue. J'ai bien ri. » Victoire fut secouée d'un sanglot.

Elle se retourna, repoussa le dessus-de-lit qui, soudain, lui tenait trop chaud. Elle renversa son visage vers la bougie qui lentement se consumait en coulant ses larmes de cire. « Chris, j'ai compris cet été que je ne devais pas faire comme elle et me consumer à petit feu jusqu'à ce que je meure. Il ne faut pas m'en vouloir si je change, si je grandis. Un jour je serai femme. »

Victoire plaça sur sa poitrine la bougie dont elle s'amusait à bousculer la flamme avec son souffle. Le pyjama trop grand dévoilait des seins hauts et fermes. Tout doucement, elle prononça le nom de Chris. Si doucement que la flamme vacilla à peine.

Se relevant sur un coude elle éteignit la bougie. Alors, dans la chambre plongée dans la nuit, s'exhala un agréable parfum qui lui piqua les narines. Cette odeur lui rappela l'église, Noël, les anniversaires : toutes ces fêtes qu'elle avait tant aimées. Toutes ces fêtes qui ne reviendraient plus jamais comme avant.

Elle se retourna, se serra dans son lit. Elle caressa son pyjama : « Oh ! Chris, prends-moi dans tes bras, embrasse-moi, très fort. J'ai tant besoin de savoir que tu m'aimes. »

Elle attendait, tous les sens éveillés, comme une prière de son corps. Mais, depuis quelques instants, il lui semblait qu'elle n'était plus seule dans cette chambre vide. Elle sentait comme un élan répondre à son appel.

Elle ne bougea pas. Elle sourit dans l'ombre, de son sourire retrouvé de petite fille. Avec beaucoup de douceur, elle appela encore. « Chris, je sais que tu es là, viens près de moi. »

Elle passa le revers de sa main sur son visage. Elle s'aperçut qu'il était inondé de larmes. Dans le lit, elle se poussa sur le bord. « Tu vois, je t'ai laissé la place toute chaude. Viens t'allonger contre moi. Prends-moi dans tes bras. Te souviens-tu du soir où nous avions dormi ensemble dans la maisonnette ? Notre dernière cabane ; nos derniers jours d'enfance. Ce soir-là j'avais fait semblant de dormir, rien que pour le plaisir de me sentir soulevée par des bras solides.

« Chris, pour la première fois nous avions dormi ensemble. Tu t'étais penché sur moi. Tu avais déposé sur mes lèvres un baiser. Mais, malgré tout ton amour, j'étais encore une petite fille. Après que tes doigts eurent été à la rencontre de ma gorge naissante, tu t'étais retourné pour dormir en poussant un soupir que je ne compris pas alors.

« Oh ! Chris ! pourquoi aussi n'étions-nous pas de vrais jumeaux, au moins par l'âge ? En même temps que tu étais devenu homme, je serais devenue femme. Et tu ne m'aurais pas trahie. Comment mon corps, encore si chaste, se serait-il ému de ce qu'il ne connaissait pas ? Mon cœur était à toi, pouvais-je te donner ce que je ne possédais pas ?

« Ce soir-là dans la nuit, mi-femme mi-enfant, longtemps j'avais gardé les yeux ouverts en pensant au baiser qui, ce soir encore, me brûle les lèvres. Dans la nuit j'avais dû m'assoupir. C'est ta main qui m'avait éveillée. Elle était venue peser au creux de mon ventre.

« Le lendemain sonnait notre dernier jour ensemble. Ni toi, ni moi ne le savions. Ce jour-là, ni le vent, ni le ciel ne nous avaient prévenus. C'était le 15 septembre, (comment pourrais-je jamais oublier cette date), il faisait un temps de plein été. La vieille tante Marthe était partie. Le matin nous avions rentré nos bicyclettes rouge et bleu. Nous avions fermé la maisonnette.

« L'après-midi, le cœur lourd, nous avions traîné nos pas un peu partout. Nous nous étions assis un long moment sur l'herbe jaunie. Nous ne nous étions presque rien dit. A quoi pensais-tu ? L'ombre de cette Jacqueline planait encore entre nous. J'avais le cœur gros.

« Le lendemain, accompagnés par Quentin, nous avions pris chacun notre train. Plusieurs fois tu avais failli me dire... Plusieurs fois j'avais failli te dire...

« Ici-bas les gens meurent de se taire.

« C'était, Chris, notre dernier jour ensemble et nous ne le savions pas.

« Quelques mois plus tard tu mourais. Une péritonite ! Incompréhensible, disaient les uns. Malchance, disaient les autres. Bêtement, disaient les derniers. Mais quand on meurt, Chris, c'est toujours tellement bête. De la table d'opération, tu ne t'es jamais réveillé. C'était la dernière farce que tu me réservais. »

XXV

Novembre.

Aux branches des arbres de la grande allée quelques feuilles racornies restaient accrochées comme des lambeaux de chair. Malgré tous les soins de Quentin qui ne cessait de ratisser, les feuilles s'envolaient. Elles traînaient leur frêle cadavre jusqu'aux prochaines pluies qui les transformeraient en humus.

Mais cette année, l'arrière-saison étant sèche, sous les monticules de feuilles couvaient des feux qu'on avait allumés. Ces exhalaisons donnaient à la campagne environnante son parfum d'automne.

Dans ses habits de deuil Victoire remonta la grande allée. Jamais encore elle n'était venue à la Musardière en cette saison. Sous le ciel pâli, le jardin sans fleurs aux arbres nus ne se ressemblait plus.

Elle alla s'asseoir sur une chaise en fer sous le tilleul sans ombre. Tournée vers la maison, elle se balança sur les deux pieds arrière. Elle regarda du côté de la chambre de sa grand-mère. Les rideaux aux tons flétris étaient restés tirés derrière les fenêtres. Là-haut sa grand-tante Marthe et Rose s'affairaient, les lèvres tremblantes et les yeux rougis. En parlant à voix basse, elles cherchaient à remettre un peu d'ordre dans la pièce qui sentait encore si fort la vie.

Le plus difficile étant passé, c'est seulement maintenant que Victoire se laissait aller à penser à son chagrin. Durant deux jours la Musardière avait été envahie. Elle n'avait pas voulu participer à cette mascarade, où les vivants venaient se rassurer les uns les autres, en se félicitant d'être encore de ce monde.

En retrait, Victoire avait embrassé les seuls vrais amis de sa grand-mère. C'est ainsi qu'elle avait été à la rencontre de madame de Fontenac, qui avait ce jour-là perdu son air de caniche joyeux, du docteur Vignon qui ne se pardonnait pas d'avoir accepté un dîner le soir du drame (prévenu trop tard, il n'était arrivé que pour constater le décès), de Marguerite qui était sortie de son bourg, malgré toute sa répugnance à revenir à Charmille. La vieille fille s'était remise à l'harmonium et l'avait fait chanter en hommage à la maîtresse de la Musardière.

En sortant de l'église, Victoire avait entendu une bigote, habituée des obsèques, susurrer à sa voisine que c'était un bel enterrement, comme elle aurait dit que c'était une belle réception. Nauséeuse devant tout ce monde, elle avait laissé la famille face à cette marée murmurante et importune.

Pendant la messe, Marthe avait tenu à ce que Rose restât à ses côtés comme représentante de la famille. Ce n'est que peu avant le serrement de mains que Quentin était venu comme prévu chercher la servante pour la ramener à la Musardière. Après le cimetière, un déjeuner était préparé pour ceux qui étaient venus de loin. Et c'est ainsi qu'avant même que Madame eût été mise en terre, Rose était retournée à ses fourneaux.

Dans le jardinet qui s'étalait sur le côté de l'église jusqu'à la cure, Victoire avait attendu que les serrements de mains se terminent. « Chris, grand-mère, étaient partis. Un jour ce serait le tour de tante Marthe, de Rose. Et il ne resterait plus rien de ses étés », avait-elle pensé en cueillant quelques fleurs égarées dans ce bel automne. Quand un homme habillé d'un costume gris et d'une cravate noire s'était campé face à elle.

Dans son brouillard, Victoire n'avait pas prêté attention à lui, jusqu'à ce que la voix masculine s'adressât à elle :

— C'est un jour si triste, je voulais...

François ! Elle était si étonnée de le voir.

Au cimetière il avait été parmi les rares fidèles qui étaient venus jusque-là. Pendant la mise en terre, Victoire l'avait cherché du regard. Pour la première fois elle n'avait pas vu François en ennemi.

Pour le déjeuner elle avait accepté la présence de François à ses côtés. Ensemble ils avaient parlé de la maîtresse de la Musardière, du dernier été. Elle n'avait plus regardé le garçon comme un étranger : il avait connu sa grand-mère. Il avait connu la Musardière avec ses rites, ses habitudes, ses nonchalances. Il avait connu un peu de ce qu'elle avait aimé, un peu de ce qu'elle regrettait si fort déjà.

François Vallier était reparti l'après-midi même. Pour la deuxième fois elle avait regardé la silhouette descendre la grande allée et s'évanouir derrière le portail.

Elle avait été sensible à sa venue, sensible à sa présence. Elle aurait peut-être dû courir derrière lui pour le lui dire. Au lieu de cela, elle était restée un long moment à regarder du côté du portail sans bouger : ici elle sentait encore peser sur elle l'œil de Chris.

Assise sur sa chaise, en équilibre sur les deux pieds arrière, Victoire fixait les fenêtres aux rideaux tirés. Elle s'attendait toujours à ce que sa grand-mère descende de sa chambre, ceinte de son tablier de jardinier, et qu'elle lance souriante et tranquille : « Bonjour ma petite-fille ! »

Et la vie continuerait.

Victoire sourit à cette vision : c'était si simple la vie. Mais au lieu de cela, apparut Rose dans le vestibule, tout habillée de noir, de la robe aux bas opaques, en passant par les lacets qui fermaient ses chaussures plates. Son teint était pâle. Sous ses lunettes cerclées dépassaient des cernes violets. Seul son chignon faisait tache parmi tout ce sombre.

Rose ne pleurait pas : « Madame n'aimait pas qu'on pleure. » Mais, de temps à autre, sans qu'elle s'en aperçoive, une larme glissait sur sa joue.

Le matin Rose errait d'une pièce à l'autre. Elle remettait en place le panier à ouvrages dans lequel Madame avait laissé ses lunettes. Elle sortait d'un tiroir le carnet blanc et en relisait les derniers menus. Elle soulevait le chapeau de paille accroché derrière la porte de la cuisine pour s'assurer qu'il était bien à sa place.

Parce que, même si Rose n'avait plus envie que la vie continue, elle refaisait les gestes de toujours. Quelquefois, absorbée par de menus travaux, elle pensait : « Je vais demander à Madame... Madame ! » Un instant elle avait oublié. Un nouveau coup de poignard s'enfonçait dans son cœur malade de chagrin.

Dans sa petite chambre attenante à la cuisine, la servante restait assise sur son lit. Elle revivait toutes les nuits le soir où, après avoir terminé sa dernière vaisselle, elle était allée rejoindre Madame au salon. Elle l'avait découverte, affaissée sur son ouvrage.

Aussitôt elle avait couru à l'office décrocher le téléphone noir pour appeler le docteur Vignon. On lui avait répondu que celui-ci était absent pour le dîner mais qu'on le préviendrait dès que possible.

Rose, tremblante, avait couru en sens inverse. Dans le salon elle avait allongé sa patronne sur le tapis. Dans ses bras, elle avait pris la tête aux cheveux gris. Elle l'avait bercée longtemps, longtemps, chantant des mélodies oubliées. La maîtresse de la Musardière était morte. Tout doucement la vie l'avait quittée aux sons des berceuses que la mère de Rose chantait à sa petite fille pour l'endormir.

Bien après, le docteur Vignon était arrivé dans sa 2 CV. Mais il était déjà trop tard, bien trop tard.

Assise sous le tilleul aux branches dénudées, Victoire regardait Rose qui s'était arrêtée dans le vestibule. Derrière elle arrivait sa tante. Durant ces trois jours, Marthe la Parisienne, Marthe la mondaine, s'était occupée de tous les détails de l'enterrement, de recevoir la famille et les amis à la Musardière. Elle n'avait pas eu un moment pour se consacrer à son chagrin. Il lui fallait encore tenir bon pour la vieille servante et pour sa nièce. Malgré toute sa tristesse, quand elle pensait à sa sœur, elle veillait à ne pas se laisser aller : « Plus tard, plus tard ! » se disait-elle.

Marthe sortit sur le perron avec un sourire héroïque sur les lèvres. Elle descendit quelques marches :

168

— Ma chérie, c'est l'heure de passer à table. Rose nous a préparé quelque chose de bon, tu verras.

Ce que préparait Rose était toujours excellent mais, cette fois, personne n'eut faim.

Victoire s'était assise comme toujours, dos aux fenêtres, et sa tante face à elle. Manquaient deux couverts. Devant tant de vide, Victoire ne put avaler une seule bouchée.

Elle sentit soudain des sanglots monter en elle, comme une marée bouillonnante et noire. Elle eut un haut-le-cœur. Brusquement elle se leva de table. Derrière elle, la porte de la salle à manger claqua, tandis qu'elle montait en courant se réfugier dans la chambre de Chris.

Le lendemain une pluie fine tomba. Échappées du rateau de Quentin, les feuilles racornies s'imbibèrent d'eau. Leur cadavre odorant pourrit sur place.

Pataud traînait son air de chien mouillé en quête de quelques caresses. Puis il repartait se calfeutrer dans sa niche, en attendant que son maître lui ouvre la porte.

Voyou avait définitivement quitté son banc de pierre pour se lover dans son panier douillet.

Charmille avait retrouvé ses langueurs des saisons mortes.

Tout occupés à se trouver des caches pour l'hiver, les oiseaux avaient cessé de pépier.

L'hiver était tombé sur la Musardière. Bientôt Victoire dut partir. Quelques jours plus tard Marthe suivit.

Plus un rire, plus un murmure ne vinrent déranger les ombres dont Rose était devenue la seule gardienne.

XXVI

A Noël Marthe reçut Victoire.

Rose aussi fut invitée à passer les fêtes à Paris mais la vieille servante refusa : qui garderait la Musardière ? Et jamais de sa vie elle n'avait encore pris le train.

Simplement, le jour de Noël, accompagnée par Quentin, elle se rendit au fond du bourg pour aller bavarder un peu avec Marguerite. Ensemble elles mesurèrent leur douleur. Elles se rappelèrent à voix basse leurs souvenirs communs et s'abîmèrent dans leurs regrets.

Ce fut son unique sortie.

Tout le reste de l'hiver, Rose resta seule avec son chagrin et son chat dans la grande maison.

Sur la demande expresse de Madame Marthe, Quentin le solitaire venait tous les soirs prendre son repas sur la grande table de la cuisine. Le docteur Vignon, quand il n'était pas en voyage, venait aussi passer quelques heures à la Musardière. Et Rose, le dimanche, continuait à monter au village pour aller bavarder avec les commères de Charmille.

Mais le seul jour qu'elle attendait vraiment était le jeudi.

Ce jour-là, tout comme le jour du Seigneur, Rose troquait ses pantoufles à carreaux contre sa paire de chaussures noires à lacets. Elle se couvrait la tête d'un fichu qu'elle nouait sous le menton. Elle prenait son sac noir à deux anses et son cabas vide. Elle sortait Voyou de son panier à coups de chiffon :

« Va-t'en donc courir petit paresseux ! » Elle fermait la cuisine à double tour.

Puis, de son pas uni, elle allait rejoindre Quentin dans le jardin ; là où il faisait encore pousser les fleurs préférées de la maîtresse de la Musardière.

Le bouquet était toujours prêt. Mais afin d'avoir le dernier mot, la vieille fille faisait rajouter une fleur ou deux.

Ainsi, le cabas regorgeant de couleurs et de parfums, rempli de têtes dodelinantes et abandonnées, Rose s'en allait. Immuablement le clocher de Charmille sonnait ses huit coups quand elle passait le portail.

Ce jour-là Rose se rendait au cimetière. Elle avait déjà enterré madame Mère, monsieur le Grand, monsieur Rivoix, Chris et maintenant « la » maîtresse de la Musardière ; sa patronne à elle depuis toujours.

Quelques tombes plus loin était enterrée la mère de Rose. Depuis quarante-cinq ans elle attendait sa fille qu'elle avait appelée d'un nom de fleur parce qu'elle l'avait mise au monde un jour de printemps.

Au cimetière elle commençait par faire un signe de croix. Puis, tout en s'occupant de jeter les fleurs fanées, de changer l'eau et d'arranger son bouquet, elle donnait des nouvelles à Madame.

Elle parlait des menus faits survenus à la Musardière, de Quentin, de la visite du docteur Vignon, du dernier coup de téléphone reçu de Madame Marthe.

Elle racontait, Rose, tout en enlevant autour de la tombe les mauvaises herbes et en faisant un peu de ménage ; sa façon à elle d'aimer les gens. Puis elle repartait le dos voûté sous le poids de son chagrin.

Qu'il fasse froid, qu'il pleuve ou qu'il vente, munie de son cabas rempli de senteurs de la Musardière, chaque dimanche Rose se rendait au cimetière.

Le premier hiver, la saison fut rude et particulièrement longue. Par mesure d'économie, la vieille fille ne chauffa plus du tout la maison. Elle se calfeutra entre l'office, la cuisine et sa chambre, petite pièce exiguë attenante à la cuisine.

L'été revint, la maison fut rouverte. Madame Marthe et la « petite » arrivèrent dès la fin juin : on vit souvent François Vallier à la Musardière. Et avec les quelques amis de passage cela fit un peu de mouvement.

« C'était visible, ils s'aimaient ces deux-là ! »

Le deuxième hiver fut plus clément. Mais, installée dans sa solitude, Rose n'allait plus au village le dimanche. Dans la journée, sa seule compagnie était son chat et quelquefois Pataud dont elle acceptait la présence, pourvu qu'il n'arrivât pas trop crotté dans la cuisine. Une fois par jour elle allait aussi nourrir ses poules.

Mais de plus en plus Rose parlait toute seule. Et le soir, à travers les volets tirés, on pouvait suivre une lumière tremblante qui passait de pièce en pièce.

Tous les soirs la vieille fille faisait le même trajet. Munie d'une bougie elle passait par l'étroit couloir qui mène à la salle à manger. Puis elle se rendait dans le vestibule glacial pour s'assurer, comme le faisait Madame tous les soirs, que la porte était bien fermée. La silhouette de la vieille fille se dessinait étrangement sur les murs qui suintaient d'humidité. Dans le salon, où le mobilier avait pris un air fantomatique sous ses housses, Rose allait près de la cheminée pour remonter la pendule. Cœur de la maison, elle continuait de chanter les heures de sa voix sèche mais nette.

Debout le bougeoir à la main, la servante attendait que les dix coups sonnent. Puis elle repartait dans le vestibule et montait les marches du grand escalier. Dans ses pantoufles à carreaux ses pas se faisaient un peu plus pesants chaque jour.

Là-haut, elle s'arrêtait devant la chambre de Madame. Bien sûr elle ne pénétrait pas comme ça. Elle frappait comme elle l'avait toujours fait. L'oreille collée à la porte, elle attendait que Madame lui dise de rentrer. Alors elle glissait dans la pièce son chignon devenu blanc comme neige. Et, plantée devant le lit, elle soliloquait : « Madame ne devrait pas faire d'imprudence, c'est l'heure de se coucher. Demain j'apporterai une tisane à Madame. »

Après un moment, un peu plus long chaque jour, Rose ressortait en serrant sur ses épaules son châle noir : aussi il faisait si froid dans cette maison ! mais jamais autant qu'il avait fait froid dans le cœur de Rose.

Pendant des jours et des nuits, elle avait erré dans la grande maison. Seule parmi les ombres elle traînait son chagrin de pièce en pièce. Mais maintenant tout allait mieux : son petit monde était revenu.

Rose passait ensuite dans la chambre d'à côté. Elle morigénait Chris. Il avait encore mis du désordre dans toute la pièce. Elle bordait l'enfant, repartait avec son bougeoir. Elle passait par la bibliothèque où elle allait porter à monsieur Rivoix sa potion pour la nuit. Enfin, elle prenait le couloir sous l'escalier qui mène à l'office où l'attendait son chat qu'elle appelait de plus en plus souvent « la Moune ».

La famille ne pouvant plus faire face aux dépenses, au printemps la propriété fut vendue. Seuls Quentin et Pataud pouvaient rester. Marthe avait trouvé pour Rose une maisonnette meublée avec un bout de jardin baigné de soleil, à l'entrée de Charmille. Victoire avait proposé à Rose d'attendre fin juin pour déménager, afin qu'elle puisse venir l'aider. Mais dans ce dernier déchirement Rose n'avait accepté l'aide de personne ; pas même celle de Quentin.

C'était un 8 mai, tôt le matin. Par les fenêtres basses, le soleil rentrait dans la cuisine pour s'étaler sur les carreaux. Bien que la porte, donnant sur le dehors, fût restée fermée pour que la Moune ne s'échappe pas, on entendait les oiseaux chanter.

Sur la table une valise en carton datant de la guerre était ouverte. Dedans Rose mit ses pantoufles, son tablier, sa robe du dimanche, sa mantille, « cadeau de Madame », la bible illustrée de monsieur le Curé qu'elle gardait comme une relique, son vieux réveil asthmatique qui, comme elle, n'en finissait plus de mourir. Elle ferma la valise à moitié vide, mit son chat dans un panier. Affolé, il se débattait tant qu'il put : « Sage la Moune, sage », disait-elle.

Enfin elle prit la grosse clef, ouvrit la porte qui donnait sur la cour, la referma soigneusement ainsi qu'elle le faisait tous les dimanches.

D'un pas lourd Rose passa devant Quentin sans le voir ; Pataud attaché à sa niche jappa en signe d'amitié, mais la servante ne l'entendit pas.

Elle franchissait le portail de la Musardière pour la dernière fois.

Sur le sentier, raccourci qui mène directement à Charmille, Quentin, les larmes aux yeux, suivit un moment la vieille fille. Elle montait péniblement à travers champs. Elle avait un panier dans une main, sa valise en carton qui avait appartenu à sa mère dans l'autre. Car Rose n'avait jamais eu besoin de valise. C'est à la Musardière qu'elle était née et jamais, non jamais, jusqu'à ce jour, elle n'en était partie.

Un mois plus tard, jour pour jour, dans sa petite maison baignée de soleil, Rose mourut.

Dans sa boîte aux lettres le facteur avait déposé une lettre de Victoire. La jeune fille lui annonçait son mariage prochain avec François Vallier. Elle disait qu'elle allait s'installer à Charmille, impasse des Dames-Blanches. Elle invitait Rose à vivre avec elle dans sa nouvelle demeure.

La lettre disait encore : « C'est toi, Rose, qui élèvera mes enfants. Tante Marthe viendra passer tous ses étés chez nous. Et ce sera comme autrefois. »

Aubin Imprimeur

LIGUGÉ, POITIERS

Éditions du Rocher
28, rue Comte Félix Gastaldi
Monaco

imprimer en janvier 1989
Commerce et Industrie, Monaco 19023
pression L 30192
janvier 1989
n France